Buch und Bildung

Eine Aufsatzfolge

Friedrich Oldenbourg

Alpha Editions

This edition published in 2022

ISBN : 9789356710184

Design and Setting By
Alpha Editions
www.alphaedis.com
Email - info@alphaedis.com

Contents

Vorwort

Vor einem Fest stellt man sich wohl an einen Spiegel und prüft, ob der Anzug sitzt, ob die Binde in Ordnung, ob das Haar richtig liegt. Wer aber Feste richtig zu feiern versteht, der bleibt nicht bei diesen eitlen Äußerlichkeiten. Er blickt sich richtig ins Gesicht, d. h. er prüft auch, ob er als Mensch zu dem bevorstehenden Fest paßt; er scheut nicht davor zurück, auch dem inneren Menschen den Spiegel vorzuhalten, und wenn er dann manchen Mangel entdeckt, macht er eine mehr oder minder große Schublade auf und entnimmt ihr allerlei gute Vorsätze, glättet mit ihnen hier eine Falte, deckt damit dort einen allzu störenden Fleck, und glücklich, wenn es gelingt, nach solcher Arbeit mit dem Bewußtsein vollen Erfolges unter die Festgesellschaft zu treten. Er kann wirklich feiern, auch wenn er weiß, daß der Ernst seiner guten Vorsätze harten Werktag in Aussicht stellt; denn ein wahrer Festtag ist nicht nur der schöne Abschluß nach einer Zeit der Arbeit, er ist auch der Auftakt des morgigen Schaffens. Blieben wir nicht alle dem Gestern etwas schuldig, daß wir uns des Morgen mit seinen Möglichkeiten freuen müssen, wenn wir heute ein Fest wirklich feiern wollen?

Der deutsche Buchhandel feiert in diesem Jahr sein großes Fest, und nicht nur seine Angehörigen, sondern auch alle Verwandten und Freunde, ja auch alle, die mit ihm mehr pflichtmäßig als aus Zuneigung verkehren, werden mitfeiern. Der Absicht, ihnen allen, meinen Berufsgenossen in erster Linie, zu solcher Spiegelschau zu verhelfen, verdankt das vorliegende Buch seine Zusammenfügung aus zunächst unabhängig voneinander entstandenen Reden und Aufsätzen.

Ich weiß, es entstand kein Spiegel aus herrlichem Kristallglas, auch das Metall der Hinterlegung ist nicht fleckenfrei, und der Rahmen ist weder aus edler Bronze noch von kunstvoller Schnitzerei. So mag mancher, der vom Spiegelbild nicht entzückt ist, ruhig lieber dem Spiegel die Schuld geben, ehe er sich die Laune verderben läßt. Bedenken möge aber jeder, daß uns manchmal der bescheidenste Scherben gute Dienste leisten kann, wenn Besseres nicht greifbar ist. Würde ich nicht den Glauben haben, daß mein unvollkommenes Machwerk doch da und dort durch Anregung oder wenigstens durch Widerspruch etwas wirken kann, dürfte ich es nicht geschrieben haben. Daß ich es aber nicht nur schrieb, sondern auch durch Druck vervielfältigen lasse, entsprang nicht meiner Unbescheidenheit, sondern der Liebe zu meinem Beruf, Beruf in jenem höheren Sinne des Schaffens zur Erfüllung einer gottgegebenen Pflicht. Liebe aber ist am glücklichsten im Schenken, und hat sie nichts anderes, so ist ihr auch bescheidene Gabe lieber als leere Hände.

München, April 1925.

Dr. Friedrich Oldenbourg

Politische Bildung und staatsbürgerliche Erziehung

In Zeiten des politischen Tiefstandes eines Volkes wird gerne nach Wegen gesucht, die es ermöglichen, wieder emporzuklimmen. Jede Partei, jeder Stand, ja fast jeder Einzelmensch weiß dann irgendein Mittel, das zur Gesundung dienen soll. So viele Meinungen das Übel zu bannen versprechen, so gewiß ist das eine, daß nur die dahinterstehende gute Absicht wirklich wertvoll ist. Sie ist das einzig Zusammenschließende in dem Vielerlei und insoferne auch der einzig brauchbare Ausgangspunkt; denn alle empfohlenen Mittel, auch wenn sie noch so gut sind, müssen richtig und zu passender Zeit angewendet werden, sind also nicht an sich gut, sondern nur, wenn ihre Voraussetzungen erfüllt sind.

Soll aber dieser gemeinsame Wille der Hilfsbereitschaft sich auswirken zum Segen des Ganzen, so muß die Bahn frei gemacht werden nach der Richtung, in der allein politisches Leben zu finden ist, in Richtung auf den Staat. Nicht ein Staat ganz bestimmter Form kann hiebei in Frage kommen – die Wege würden da ja gleich auseinanderführen –, zunächst handelt es sich nur um das Bewußtsein, daß Politik ohne Staat unmöglich ist. Erst dieses Bewußtsein schafft die Möglichkeit, weiterzuplanen.

Darum ist der Inhalt der Überschrift dieses Aufsatzes von mir als die Frage gedacht: Können politische Bildung und staatsbürgerliche Erziehung uns heute helfen, helfen in jenem eindeutigen Sinne?

Nun glaube ich nicht, daß ich allein die richtige Antwort geben kann; ich bin aber überzeugt, daß die Aufwerfung der obigen Frage an sich schon Wert besitzt. Je mehr das gleiche tun, desto sicherer wird sie geklärt, auch wenn die Antworten weit auseinandergehen. Irgendwie wird dann der sachlich unantastbare Kern gefunden, losgelöst von den Schalen persönlicher Gebundenheiten.

Diese Gebundenheiten eines Buchhändlers, der sich an der Universität geisteswissenschaftlichen Studien hingab und dann als Offizier den Krieg mitmachte, sind nicht schwer zu erkennen, ja um so mehr faßbar, wenn man genau verfolgt, welche Zeugen er für seine Begriffsbestimmungen anführt. Diese aber sind die Voraussetzungen für alles Weitere; denn der Hauptgrund dafür, daß die Menschen soviel aneinander vorbeireden, ist der, daß sie mit den gleichen Worten Verschiedenes ausdrücken.

In der von mir gewählten Überschrift sind im ganzen vier Begriffe, die verdeutlicht werden müssen.

»Alle *Politik* ist Kunst.« Mit diesem Wort begann Heinrich von Treitschke seine Vorlesungen über Politik, und wenn man ein beliebiges Wörterbuch aufschlägt, so findet man als erste verdeutlichende Übersetzung des Wortes Politik »Staats*kunst*«. Es ist wohl das Beste, daran festzuhalten, daß alle weiteren Worterklärungen vom wahren Sinn des Wortes abirren. Es hat schon Leute gegeben, die Politik als Wissenschaft hinstellen wollten. Sie wurden dazu verleitet, weil die Politik des wissenschaftlichen Rüstzeuges nicht entraten kann. Es wird aber wohl niemandem einfallen, die Malerei als Wissenschaft zu bezeichnen, weil sie sich bei uns z. B. der Mathematik in Form der Perspektive bedient. »Alle Politik ist Kunst« heißt: nur ein Künstler kann sie beherrschen. Muß man darüber noch mehr sagen in einer Zeit, wo von allen Seiten nach dem Manne gerufen wird, der den politischen Knoten unserer Zeit löst, und sei es durch scharfen Hieb? In einer Zeit, in der Bismarcks letzter Erinnerungsband die ganze Kümmerlichkeit aller jener Politiker zum Bewußtsein bringt, die dem großen Meister nicht etwa nachfolgten, sondern genug zu »können« wähnten, um eigene Wege zu gehen?

Es läge nun nahe, daß ich an zweiter Stelle erklärte, was ich unter einem Staatsbürger verstehe; damit würde ich aber nahezu die Hauptsache meiner Ausführungen vorwegnehmen, denn man wird aus der Überschrift herausgefühlt haben, daß ich eben der politischen Bildung die staatsbürgerliche Erziehung gegenüberstelle. Dazu kommt, daß ich mich nicht ohne weiteres an Treitschke anschließen kann, dem ich für den Begriff der Politik folgte. »Es ist eine aus Frankreich herübergenommene radikale Schrulle, wenn man in dem Worte Untertan etwas Ehrenrühriges sieht und dafür Staatsbürger einsetzt. Untertan und Staatsbürger sind zwei sich ganz und gar deckende Begriffe, nur daß in jenem mehr Verpflichtung, in diesem mehr die Berechtigung betont wird.« Aber seit Treitschke dies aussprach, ist das Wort Untertan noch mehr in Verruf gekommen; es gibt keine »Regierenden und Regierten« mehr wie damals Anfang der neunziger Jahre des vorigen Jahrhunderts. Das Volk regiert sich ja selbst! Diese Andeutung, daß gerade der Staatsbürgerbegriff die große Frage der Überschrift dieser Ausführungen umschließt, muß hier zunächst genügen.

Einer eingehenden Auslegung aber bedürfen noch die Begriffe »Bildung« und »Erziehung«. Ich möchte hier geschichtlich vorgehen; wir erhalten dadurch, wie sich bald zeigen wird, einen besonders klaren Ausblick auf den Weg, der zurückgelegt werden soll.

Das Wort Bildung hat manche Wandlung in seiner Bedeutung erlebt. Es wurde zwar häufig in der ersten Hälfte des 18. Jahrhunderts gebraucht, aber immer im Sinne von Gestalt; man sagte z. B. von einer schönen Frau, sie sei von ausgezeichneter Bildung. Erst in der klassischen Zeit, hervorwachsend aus der Aufklärungsphilosophie, bahnt sich das Wort in seiner geistigen Bedeutung den Weg.

Die vielleicht klarste Verwendung in der neuen Bedeutung finden wir bei Schiller in den philosophischen Schriften. Er, der ja die ästhetische Erziehung als Forderung aufstellt, mußte ja auch am ehesten an den ursprünglichen Wortsinn anknüpfen können. Was Plato sich von jedem Ding dachte, das Vorhandensein einer Idee, eines idealen Vorbildes in einer besseren Welt, das beherrscht Schiller besonders im Hinblick auf den Menschen in jeder Hinsicht, vornehmlich aber in geistiger. »Nicht der Masse qualvoll abgerungen, schlank und leicht, wie aus dem Nichts entsprungen, steht das Bild vor dem entzückten Blick.« Diese Verse aus dem Gedicht »Das Ideal und das Leben« verdeutlichen am besten, wie Schiller sich jenes Bild der besseren Welt der Gedanken dachte im Gegensatz zu dem in Wirklichkeit erscheinenden.

Kurz sei Goethes Persönlichkeitsideal erwähnt. Erst beim alten Goethe – in Wilhelm Meisters Wanderjahren und im zweiten Teil des Faust – bezieht er Staat und Gesellschaft mit ein, also in jener Zeit, die den politisch so entscheidenden Jahren um die Jahrhundertwende erst folgte.

Die Betrachtung gerade dieser Zeit aber ist aus begreiflichen Gründen für uns von ausschlaggebender Bedeutung. Es ist die Zeit der geistigen Geburt des neuen deutschen Staates: Aus den weltbürgerlichen Strebungen der Aufklärungszeit und denen unseres klassischen Zeitalters wächst das Ideal des Nationalstaates hervor. Am Anfang dieser Entwicklung steht Wilhelm von Humboldt; er wird auch in der klassischen Darstellung dieser Entwicklung durch den Berliner Historiker *Meinecke* an die Spitze gestellt. Wohl mutet er uns noch allzusehr von weltbürgerlichen Idealen erfüllt an, doch werden Sie den Fortschritt, den wir Humboldt hier verdanken, sofort erkennen, wenn Sie sich einerseits die Beziehungslosigkeit unserer klassischen Dichter zum deutschen Staatsgedanken vergegenwärtigen und dann folgende Worte Humboldts in sich aufnehmen: »Die Zivilisation ist die Vermenschlichung der Völker in ihren äußeren Einrichtungen und Gebräuchen und der darauf Bezug habenden Gesinnung. Die Kultur fügt dieser Veredlung des gesellschaftlichen Zustandes Wissenschaft und Kunst hinzu. Wenn wir aber in unserer Sprache *Bildung* sagen, so meinen wir damit etwas zugleich Höheres und mehr Innerliches, nämlich die Sinnesart, die sich aus der Erkenntnis und dem Gefühle des gesamten geistigen und sittlichen Strebens harmonisch auf die Empfindung und den Charakter ergießt.« Selbst noch Weltbürger, hat er mit dieser Aufstellung des *deutschen* Bildungsbegriffes im Gegensatz zu den aus der Fremde übernommenen Begriffen »Zivilisation« und »Kultur« für das Deutschtum nach meiner Ansicht mehr geleistet als mit all seinen staatsphilosophischen Betrachtungen, soviel auch diese sonst in der Geschichte des deutschen Nationalstaates eine Rolle spielen mögen.

Indem ich für diese Geschichte hinsichtlich der Einzelheiten auf Meinecke verweise, wende ich mich nun zu jener Gestalt, die eben jenen deutschen Bildungsbegriff, gedrängt durch das Gefühl für Deutschlands tiefste Erniedrigung, aus der Enge der Gedankenwelt einzelner, über ihrer Zeit stehender Persönlichkeiten hinaustrug in den Kampf mit der Not der Zeit: zu Fichte. Es wäre eine Aufgabe für sich, an der Hand der »Reden an die deutsche Nation« im einzelnen der Frage nachzugehen, wie Fichte mit diesem Hinaustreten in die Arena des Zeitkampfes nicht nur die politische Gleichgültigkeit der »Gebildeten« bekämpfte, sondern gerade jenes Bildungsideal der klassischen Zeit zur politischen Waffe umschmiedete. Hier kann nur in enger Zusammenfassung das Wesentliche herausgehoben werden. Ich schicke zwei Sätze der ersten Rede voraus: »So ergibt sich denn also, daß das Rettungsmittel, dessen Anzeige ich versprochen, in der Bildung bestehe zu einem durchaus neuen und bisher vielleicht als Ausnahme bei einzelnen, niemals aber als allgemeines und nationales Selbst dagewesenes Selbst und in der Erziehung der Nation.« Und: »Wir wollen durch die neue Erziehung die Deutschen zu einer Gesamtheit bilden, die in allen ihren einzelnen Gliedern getrieben und belebt sei durch dieselbe eine Angelegenheit.« Aus diesen beiden Sätzen läßt sich alles Wesentliche entnehmen: Fichte faßt erstens die Nation als ein Wesen auf, das wie die Einzelpersönlichkeit eine bestimmte Willensrichtung haben kann, und er fordert, daß dieser Wille zur Aufwärtsentwicklung, zur Bildung der nationalen Persönlichkeit angespannt werde; zweitens aber ist er sich klar darüber, daß das Idealbild zunächst nur bei den schon Gebildeten in reinster Form als Ziel erkannt werden kann, und darum ist es Pflicht eben jener Gebildeten, an der *Erziehung* der übrigen Teile der Nation so zu arbeiten, daß sie mit richtigem Zielstreben erfüllt werden.

Damit haben wir zum erstenmal eine klare Trennung zwischen »Bildung« und »Erziehung«: Bei der Erziehung ist das Bild, zu dem ein Mensch herangebildet wird, nicht in ihm selbst, es ist vielmehr das Ideal des Erziehers. Wohl dachten ein Schiller oder Humboldt wie auch Goethe nicht nur an die »Sichbildung«, wie sie Fichte an einer Stelle nennt, auch sie waren sich klar darüber, daß der Mensch in seinem Bildungsgang auch von außen beeinflußt wird; allein sie stellen, selbst starke Persönlichkeiten, diesen äußeren Einfluß so weit unter die »Sichbildung«, daß z. B. Goethe in Wilhelm Meisters Lehrjahren nur Wilhelms Bildungsstreben herausarbeitet, alle Personen seiner Umwelt erscheinen als von ihm benütztes Mittel zum Zweck, nicht als durch bewußte Erziehung wirkende Personen. Erst in den Wanderjahren tritt bewußte Erziehungstätigkeit in Erscheinung, und mich dünken diese Teile weniger ursprünglich. Humboldt widmet zwar in seinem

Buch über den Staat das 8. Kapitel der Sittenverbesserung, ist aber weit davon entfernt, den Begriff der Erziehung dabei zu berühren; er gibt vielmehr fast nur einen Abriß der Philosophie Schillers, in dem er die Überwindung des Sinnlichen durch das Schöne im weitesten Sinn des Wortes verlangt. Die Not der Zeit, von Fichte tiefinnerlich empfunden, brachte die Wendung: Fichte erkannte, daß den Deutschen nur geholfen werden kann, wenn die Wirkung der deutschen Bildung, wie wir sie vorhin in einem Worte Humboldts kennenlernten, auf die breite Masse des Volkes ausgedehnt werde, und dazu bedarf es der Erziehung.

Man sieht, durch meine geschichtliche Betrachtung führte ich längst über jene zur Verständigung notwendige Begriffsbestimmung hinaus. Wir stehen schon mitten im Kernpunkt der Aufgabe, das Verhältnis von »politischer Bildung« und »staatsbürgerlicher Erziehung« zu bestimmen. Wir können feststellen, daß von Fichte jedenfalls ein Unterschied gemacht wurde zwischen Bildung, Sichbildung und Erziehung. Das ist wichtig; denn wenn wir nun in großen Zügen die geschichtliche Betrachtung weiterführen, so zeigt sich, daß einerseits die Philosophie, ich erinnere besonders an Herbart, andrerseits die praktische Erziehungsreform Pestalozzis und seiner Nachfolger die Erziehung immer mehr zum Mittelpunkt machten: Wir erhielten dadurch eine aufs höchste entwickelte Erziehungswissenschaft – gewiß eine nicht zu unterschätzende Errungenschaft. Allein die Kehrseite von dieser Entwicklung ist höchst unerfreulich: Wir verloren jene Bildung der Persönlichkeit aus eigenem Streben heraus. Der Idealismus verlor dadurch die Bedeutung, die er sich in der klassischen Zeit erobert hatte. Es trat eine Versachlichung eben dieses Ideals ein, was man vielleicht am besten dadurch bezeichnet: An die Stelle des Ziels trat der Zweck. Wir kamen so weit, daß man unter einem gebildeten Menschen den verstand, der z. B. wußte, welcher Anzug der jeweils richtige ist; wir sanken also bis auf die Stufe jener Zeit zurück, in der höfische Etikette die Hauptsorge kleiner verschuldeter Fürstenhöfe war. Gewiß war der allgemein zunehmende Materialismus schuld; aber es sei nicht vergessen, daß auch die einseitige Entwicklung der Erziehungswissenschaft die Verantwortung mit zu tragen hat, wobei allerdings zu fragen ist, ob eben diese Entwicklung nicht selbst eine Äußerung des Materialismus darstellt.

Der Rückstoß blieb aber nicht aus: Als Nietzsche sozusagen mit Posaunentönen das Ideal des »Übermenschen« verkündet hatte, da erlebte man bald jene Vertreter des rücksichtslosen Auslebens der eigenen Person: Die Erziehung wurde als Schulmeisterei über Bord geworfen, und das herrliche Zeitalter des Schwabingertums kam zur Blüte. Die Frucht, die folgte, haben wir gekostet und der schlechte Geschmack will nicht von der Zunge weichen. Nietzsche selbst trifft für den Kenner keine Schuld; er war nur der Auslöser einer naturnotwendigen Bewegung; andere Geistesgrößen, die zwar auch den Umschwung forderten, aber nicht mit jenem schmetternden Klang, drangen nicht über eine kleine Gemeinde hinaus. Ich erinnere nur an Lagarde. Noch stehen wir mitten in dieser Revolution des Geistes, und die politische Revolution ist nur ein Ausschnitt aus dem Riesenkampf, der jetzt allenthalben tobt.

Es ist nun fesselnd zu beobachten, wie in dem Ringen um neue geistige Ziele um die Jahrhundertwende die Forderung nach staatsbürgerlicher Erziehung auftauchte, und wie man an ihrer Lösung arbeitete: Man forderte, daß jedem Deutschen auf der Schule gelehrt werde, welche Rechte und Pflichten er im Staate besitze. Die einen wollten, um mit Treitschke zu sprechen, durch starke Betonung der Pflichten gute »Untertanen« erziehen und die Umsturzgefahr bannen. Die anderen wollten mit Betonung der Rechte die Lust nach mehr erwecken. Ich will hier nur in großen Umrissen andeuten. Gemeinsam bleibt den ganzen Bestrebungen ein parteipolitisches Gepräge: Von den ganz Rückständigen, die das Unmögliche wollten, daß der deutsche Staat immer in der gleichen Form erscheinen solle, bis zu jenen Phantasten, die in der Zertrümmerung der Form ihr Ziel sehen, konnte man immer den gleichen Grundfehler beobachten: Sie setzten die Form für den Staat. Dazu kamen jene, die mit geschichtlichen und erdkundlichen *Kenntnissen* dem deutschen Staatsbürger auf die Beine helfen wollten, ganz verkennend, daß nicht seine Kenntnisse, sondern die Gesinnung den Menschen zum Staatsbürger macht, daß also gerade hier die Steigerung der Kenntnisse zum Erlebnis unumgänglich notwendig ist.

Wir befinden uns im Brennpunkt des Fragenkreises, den ich angeschnitten habe. Um das empfinden zu lassen, möchte ich zwei kleine Geschichten erzählen: Nicht lange vor dem Kriege fuhr ein Deutscher nach Ostafrika. Auf dem Schiff reiste auch der Bruder eines in der Kolonialgeschichte bekannten Engländers mit. Wie nun die Fahrt durch den Suezkanal ging, da fragte der Engländer den Deutschen – und zwar vollkommen im Ernst –, auf welcher Seite Ägypten läge. Dies ist die eine Geschichte; nun die andere: Vor einiger Zeit teilte ein Buchhändler in Deutschböhmen im Börsenblatt für den deutschen Buchhandel die beschämende Tatsache mit, daß viele Reichsdeutsche in den Aufschriften der Briefe die deutschen Ortsnamen Böhmens tschechisch schrieben, obwohl selbstverständlich nur für den tschechoslowakischen Inlandsverkehr tschechische Aufschrift Gesetz sei, weil ja z. B. auch Engländer und Franzosen kein Tschechisch können.

In diesen beiden Geschichten hat man die Erläuterung dafür, was ich von der deutschen Erziehung zum Staatsbürger halte: Man hat bei uns so gute Kenntnisse, daß man z. B. *Praha* für Prag schreiben kann, aber nicht einmal so viel staatsbürgerliche Gesinnung, daß man die unserem Staate ferngehaltenen Volksgenossen in ihrem Kampf um die Heimkehr zu uns unterstützt; ja, man fällt ihnen sogar in den Rücken! Auf der andern Seite sehen Sie den Engländer mit seiner uns unbegreiflichen geographischen Unbildung; glauben Sie aber, daß er jemals zu solcher staatsbürgerlicher Gesinnungslosigkeit fähig wäre wie jene nochmal so gescheiten Deutschen? Dabei handelt es sich bei jenen Deutschen um Kaufleute, nicht um bewußt »vaterlandslose Gesellen«.

Ich glaube deutlich gemacht zu haben, was ich unter einem Staatsbürger verstehe: *Ich verstehe darunter einen Menschen, der von den Lebensnotwendigkeiten seines Staates überzeugt ist.* Der rücksichtslose Kriegsgewinnler und der Flaumacher passen sowenig unter diesen Begriff wie der Überläufer und der Meuterer. Ich erwähne dies, um zu zeigen, daß in Augenblicken der äußeren Gefahr für den Staat die Überzeugung von den Lebensnotwendigkeiten gar nicht so große Kenntnisse erfordert; je mehr wir uns aber auf das Gebiet der inneren Staatsentwicklung begeben, desto größer werden die Anforderungen an die Gesinnungstüchtigkeit und naturgemäß müssen deshalb bei der Unvollkommenheit der menschlichen Natur die Stützen der Gesinnung hier besonders kräftig sein.

Schon vor dem Krieg hatte man erkannt, welche Kräfte man diesem Zwecke dienstbar machen könne und müsse; der einschlägige Artikel in dem 1912 erschienenen Handbuch der Politik betont, daß man sich an den Verstand durch Vermittlung von Kenntnissen, an das Gefühl durch Weckung des Gemeinschaftsgefühls und an den Willen durch Stärkung des Verantwortungsgefühls wenden müsse. Man beging aber dabei zwei Grundfehler: Man dachte viel zu sehr an Menschen, die bis zu einem gewissen Grad schon eine günstige Einstellung zum Staatsgedanken mitbrachten, und glaubte deshalb der Schule, vor allem dem höheren Schulwesen die Hauptaufgabe zuweisen zu können. Zweitens aber war man sich nicht genügend klar darüber, daß die Willensbildung eben schon über die Erziehung hinausführt. Gehorsam und die Bereitschaft sich unterzuordnen sind häufig nur die Folge von Gedankenlosigkeit und Bequemlichkeit, werden sie aber von einzelnen schon bewußt und mit innerer Überzeugung dem Staate entgegengebracht, so haben wir das Gebiet der Erziehung verlassen und stehen mitten in der Selbstbildung.

Damit sind wir an der Stelle angelangt, an der über die politische Bildung gesprochen werden muß. Politik ist Kunst und Bildung ist nach Humboldt jene »Sinnesart, die sich aus der Erkenntnis und dem Gefühle des gesamten geistigen und sittlichen Strebens harmonisch auf die Empfindung und den Charakter ergießt«. Es hieße blind sein, wenn man Anforderungen, wie sie nach solcher Deutung die politische Bildung erfordert, der Gesamtheit eines Volkes zumuten wollte. Die politische Bildung ist Sache der geistig und sittlich Starken; sie müssen das Streben haben, über den Untertan- und Staatsbürgerbegriff hinauszukommen, wie ihn Treitschke gibt; hier handelt es sich nicht mehr nur um Rechte und Pflichten; hier kommt die Bildung des

Willens zur Einordnung allein nicht mehr in Frage; *gestaltender Wille*, der zur politischen Tat befähigt, ist hier die Losung. »Ehrgefühl, Pflichtgefühl, Disziplin, Entschlossenheit, das lernt man nicht aus Büchern«, sagt Spengler und ich setze hinzu: überhaupt nicht durch Worte. »Es wird«, fährt Spengler fort, »im strömenden Dasein geweckt durch ein lebendiges Vorbild«[1]. Ja, nur das Vorbild kann hier wirken und dieses bildet sich selbst, aus eigenem Willen und eigener sittlicher Kraft.

Daß die politische Bildung im Deutschen Reiche fehlte, war unser Unglück. Muß das bewiesen werden? Man denke an die Gesinnung des Volkes zu Beginn des Krieges und man wird nicht leugnen, daß wir damals »Staatsbürger« genug hatten, der Mangel an politischer Bildung aber hat dieses Staatsbürgertum zum Weißbluten gebracht, ohne daß es zur politischen Tat gekommen wäre; man verzettelte die Kräfte innen- und außenpolitisch auf schlecht erdachte Einzelziele, ohne sie so umzuformen, daß politische Leistung hätte erzielt werden können. Erinnert sei hier an die Polenpolitik und an den Burgfrieden des Kanzlers, deren Folgen der Verlust deutschen Landes einerseits, der Umsturz andrerseits war.

Nach meiner Meinung mit einem gewissen Recht wird von manchen Seiten heute betont, daß alle jene Männer der Kriegszeit, die nun mit großen Mitteln Kritik an der politischen Leitung während des Krieges üben, mit ihrer Kritik sich selbst treffen. Sie hätten sich durchsetzen müssen, wenn in ihrem Innern jenes Bild vom deutschen Staate so klar war. Sie taten es nicht und bewiesen eben deshalb, daß sie nicht stark genug waren. Das ist die Schuld der Vielen, die das Verhängnis erkannten: Sie setzten sich nicht durch.

Gewiß war es ein guter Gedanke, durch staatsbürgerliche Erziehung im Heere die Stimmung zu heben, doch fehlte es an den politisch Gebildeten, die Kraft genug hatten, dem ausgesogenen Boden neue Kraft zu geben, von dem Mangel an lebendigen Kräften gegen die unwiederbringlich verlorene Stimmung der Heimat ganz abgesehen. Das »schuldig«, das die Weltgeschichte über Deutschland sprach, trifft uns alle, nicht nur einen Teil des Volkes.

So erfüllte sich das Schicksal des deutschen Staates; er brach zusammen, in dem Augenblick, als auch bei den Feinden die innere Kraft trotz der Amerikahilfe im raschen Abnehmen war. Ja, der Staat brach so zusammen, daß nicht einmal die Eckpfeiler für den Neubau stehen blieben. Man baute aus Dachpappe der Weimarer Fabrik eine Baracke. Trotz aller Flickerei weht der geringste Wind durch die Wände und an mehr als einer Stelle regnet es herein. Dann lachen immer die, welche schon im alten Staatsgebäude keine rechte Wohnung hatten, sondern nur im Hofe biwakierten, und die anderen drängen sich scheu in bessere Ecken. Das wird so lange dauern, bis Leute aufstehen, die mit klarer Zielstrebigkeit die formlosen Haufen zur Arbeit am

Neubau treiben. Das wird dann sein, wenn das Schicksal und nicht der Schulmeister die Masse zu staatsbürgerlicher Gesinnung erzogen hat, so daß politische Bildung der geistig Hochstehenden zu klarem Führerwillen aufsteigen kann. Wir hoffen auf diese Zeit und glauben nicht, daß unser Volk durch den Zusammenbruch des alten, schönen, vielgeliebten Hauses zugrunde geht. Wir haben die feste Zuversicht, daß ein geräumiges Gebäude entstehen wird, in dem alle Deutsche Platz haben werden, daß die Mauern stark sein werden und daß das Haus von jenem Geist erfüllt sein wird, in dem so viele draußen ihr Leben geopfert haben.

Aber es wäre kläglich, wenn wir uns darauf beschränken wollten zu warten, bis sich das Schicksal, das wir erhoffen, von selbst erfüllt. Die Zuversicht muß uns die Kraft geben, selbst gestaltend mitzuwirken, jeder an seiner Stelle. Ein »Gebildeter« muß die Entschlußkraft haben, sich aus der Menge loszuringen; er darf sich nicht treiben lassen, sondern muß sich zu eigenem politischen Wollen durchringen. Ein politisch Lied mag ein garstig Leid sein, die wirklich staatsgestaltende politische Tat gehört zum Höchsten, was der Mensch leisten kann, denn bei ihr spannt er seinen Willen nicht für seine persönlichen Zwecke, sondern für die der Gesamtheit an.

Wenn man aber fragt, in welcher Richtung diese Willensanspannung nach meiner Meinung zu gehen hat, dann kann ich allen, die der staatsbürgerlichen Erziehung entwachsen sind, nur sagen, daß es nun heißt, sich politische Bildung zu erwerben. Man frage nicht nach einem Programm hiefür, denn »alles Große bildet, sobald wir es gewahr werden«, wie Goethe sagt. Wirkliche Bildung kann sich jeder nur selbst erwerben, von außen kann er nur Erziehung erhalten. Diese hat aber ihr Teil geleistet, wenn sie die staatsbürgerliche Gesinnung erreicht hat, die über alles Parteigezänk hinausführt zu der Überzeugung von den Lebensnotwendigkeiten des Staates. Heute haben wir Deutsche keinen Staat, er ist heute nur Ziel, das jede Partei mit anderen Farben ausmalt; die Höhe der politischen Bildung bestimmt, welche Form der einst entstehende Staat haben wird. Erinnern wir uns nochmals, daß Politik Kunst und daß Bildung ein Begriff von hoher sittlicher Größe ist, und wir werden uns durch das Schlagwortgetöse der Zeit hindurchfinden, denn noch nicht trat bisher der alle Deutsche umfassende Staat, den unsere Besten erhofften, in die Erscheinung, noch immer kreisen die Raben um den Berg, obwohl die Zahl der Opfer für diese Zukunft ins Riesenhafte gewachsen ist.

Halten wir daran fest, daß Bildung ein Werden aus eigenem Willen ist und daß somit wahre Erziehung nichts Besseres leisten kann als eben jenen Willen zu stählen, so gewinnen wir auch eine andere Einstellung zur Sehnsucht der Zeit, ja nicht nur zur Sehnsucht, sondern auch andrerseits zur Furcht der Zeit.

Während der eine Teil unseres Volkes immer und immer wieder nach dem »starken Mann« ruft, der in dem Wirrwarr unserer Tage mit sicherer Hand Ordnung schafft, fürchtet die andere Seite nichts mehr als eine solche Persönlichkeit, die der nun erreichten, doch so lange ersehnten Volksherrschaft (Demokratie) ein Ende machen könnte. Wohl möchten diese Leute, daß der Fähige regiere, aber diese Fähigkeit soll nur Sachkenntnis sein, nicht ein zäher Wille, der auch der Wählermenge gegenüber durchgreift, wenn seine sachliche Einsicht es für geboten hält. Diese Leute wünschen Führer, die ihnen jede Unannehmlichkeit ersparen und die keine Anforderungen an die Willenskraft der Wähler stellen. Trotzdem aber sollen sie gut regieren.

Man sollte meinen, daß es nicht schwer zu erkennen wäre, wie unmöglich das ist. Und doch gibt es viele »Gebildete«, die das nicht begreifen. Ja, jene Sehnsucht nach dem starken Mann ist aufs engste verwandt mit dieser Auffassung; denn Sehnsucht allein gibt kein Anrecht auf Erfüllung. Wenn du Sehnsucht danach hast, auf der Spitze eines Berges den Blick in die Weite zu genießen, so führt das zu nichts: Erst wenn du deinen Willen anspannst und im Schweiße deines Angesichts die steilen Hänge überwindest, ja vielleicht unter Gefahr deines Lebens Felsen erkletterst, kannst du auf Erfüllung deines Wunsches rechnen.

Nicht anders steht es mit einem Volk, das in die Tiefe gestürzt ist: es wird aus eigener Kraft mit stärkster Willensanspannung wieder emporklettern müssen. Einen »Führer«, der es am Seil hochzieht, gibt es nicht. Wie aber dem, der heiß um den Weg sich bemüht, schließlich immer klarer die einzuschlagende Richtung in das Bewußtsein tritt, so wird dem Volk, das mit Anspannung aller Kraft um seinen Aufstieg ringt, schließlich der Führer entstehen, der auf einfachstem Wege zum Ziel führt.

Darum verzichte jeder auf den memmenhaften Ruf nach dem starken Mann; er kralle sich vielmehr an seinem Platz im Gestein fest und strebe nach oben, er bilde sich zu einem Muskel, einem Nerv, einer Sehne des Volkskörpers, womit sich dieser Körper emporziehen kann, und er bilde sich zu einem Geistesfunken, durch den auch jene Zellen dem Streben nach oben nutzbar gemacht werden können, die heute noch aus sinnlichem Wohlbehagen in der Mittelmäßigkeit die angenehmste Regierung sehen.

Diejenigen, die bewußt dem deutschen Gedanken dienen wollen, indem sie den Staat, den dieser Gedanke erfüllt, mit allen Kräften wollen, werden einen dicken Strich ziehen zwischen sich und jenen, die politisch unerzogen und ungebildet nur ihrem Vorteil leben. Sie werden mit Goethe sprechen:

»Jene machen Partei; welch unerlaubtes Beginnen!

Aber unsere Partei, freilich, versteht sich von selbst.«

Buch und Religion

Harnack sagt einmal in einem seiner Aufsätze[2], daß uns bisher noch eine Kulturgeschichte des Buches fehle. Und in der Tat – soviel einzelne Bemerkungen über die Bedeutung des Buches beigebracht werden können, eine zusammenfassende Behandlung dieses Themas fehlt, fehlt uns, deren Kultur von Spengler eine »Bücher- und Leserkultur« genannt wird. Man mag sich zu dieser Bemerkung Spenglers stellen, wie man will, eines kann man nicht bestreiten: In keiner Kultur, selbst der ägyptischen nicht, spielt das Schrifttum eine solche Rolle wie im Abendland.

Will man nun an die Kulturgeschichte des Buches herangehen, so gehört eigentlich ein wissenschaftliches Rüstzeug dazu von so unerhörter Ausdehnung, daß ein Einzelmensch nicht leicht in seinem Besitz sein kann, denn nicht nur die zusammenfassende Darstellung fehlt bisher, selbst an Vorarbeiten ist nur sehr wenig geleistet: Wir haben zwar eine Geschichte des Buchhandels, eine Menge von Einzelarbeiten über verschiedene Abschnitte dieser Geschichte, wir haben eine große Reihe von Literaturgeschichten, auch Darstellungen aus der Geschichte der Wissenschaften, in allen diesen mag mehr oder weniger zu finden sein über den Einfluß des Schrifttums auf die menschliche Geistesentwicklung, eine wirklich aufklärende Schrift über das Verhältnis des Schrifttums zu den verschiedenen Erscheinungsformen der Kultur, zur Wissenschaft, zur Politik, zur Religion, zur Kunst usw. gibt es bis heute noch nicht.

Es wäre töricht, aus dieser Tatsache einen Vorwurf zu machen. Denn ebensowenig wie die hohe Blüte mittelalterlicher Kunst theoretische Schriften über die Kunst als Kulturerscheinung benötigte, um in Erscheinung zu treten, ebensowenig hinderte das Fehlen einer solchen Schrift über die Bedeutung des Schrifttums, dessen stärkste Entfaltung und Verwertung. Ja, ich gehe noch weiter und sage: Wie erst nach der letzten großen Stilepoche des Abendlandes, nach dem Barock, die theoretische Kunstschriftstellerei – ich erinnere an Winkelmann und Lessing – wirklich Boden fand, ebenso wird und muß auch die abschließende theoretische Betrachtung der Bedeutung des Schrifttums nachhinken. Zur Selbsterkenntnis gehört ein gewisser Grad von Reife und ein Leben muß gelebt sein, ehe man darüber schreibt.

Darüber aber kann kein Zweifel sein – auch wenn man den Gedanken des Unterganges des Abendlandes ablehnt –; wir haben in Kunst, Literatur, Musik, Philosophie, ja selbst der Wissenschaft so große Epochen hinter uns, daß wir uns gestehen müssen: Es lohnt sich Kulturgeschichte im obigen Sinn zu schreiben, d. h. Rückschau zu halten. Denn wer kann hoffen, daß gerade unsere Kultur von der Vorsehung mit ewiger Zeugungskraft begabt sei?

Und weiter: Ist nicht gerade jene Rückschau, so sehr sie im einzelnen etwas Zersetzendes an sich haben mag, der Nährboden, auf dem junge Kräfte erst recht zur Entfaltung kommen? Ist nicht z. B. gerade der Same des Christentums da am besten aufgegangen, wo die Antike sich gleichsam in sich selbst zurückwandte? Man erinnere sich an die Bedeutung des Neuplatonismus für das Christentum, oder an die Tatsache, daß Augustin den Weg zum Christentum über Cicero und Plato fand. Wer der Zukunft froh werden will, muß einen Summastrich unter die Vergangenheit ziehen können und die Soll- und Habenseiten zusammenzählen; nur so weiß er, ob und wie weit er in die Zukunft mit Verlust oder Gewinn eintritt.

An diesem Vergleich kann man den Kaufmann am Schreiber dieser Zeilen erkennen. Wie kann der wagen, in solche Rückschau einzutreten? Selbst wenn man berücksichtigt, daß er mit Büchern handelt, scheint es vermessen, sich an die Riesenarbeit einer Kulturgeschichte des Buches heranzuwagen, noch dazu einen Angriffspunkt zu wählen, der ganz besonders fern zu liegen scheint. Doch habe ich darauf zu antworten: Ich will gar nicht erschöpfend mein Thema behandeln, ich will vielmehr aus Blumen, die ich bisher auf *meinem* Leserweg pflückte, einen Strauß binden. Es wird ein Feld-, Wald- und Wiesenstrauß sein, wie sie eben sind: Die eine oder andere Blüte wird unansehnlich sein, manche schon etwas welk vielleicht, andere dagegen zu wenig aufgeblüht, trotzdem hoffe ich, daß die Farben und der Duft, der solchen Sträußen anhaftet, andere auch veranlaßt, solche Sträuße zu pflücken, und vielleicht findet sich einmal ein Botaniker, der nach streng wissenschaftlichen Grundsätzen seinen Strauß bindet. Zu weiterem Nachdenken und Forschen will ich anregen, sonst nichts.

Den ersten Anstoß zu meinen Betrachtungen verdanke ich dem oben erwähnten Worte Harnacks. Daß ich aber gerade dem Verhältnis von Buch und Religion meine besondere Beachtung schenkte, hat mehrere Gründe. Ich war mir von Anfang bewußt, daß die Kulturgeschichte des Buches ein wichtiges Kapitel der Gesellschaftslehre bildet. Gerade aber in dieser Wissenschaft sind durch die Untersuchungen von Tröltsch und Max Weber die religiösen Probleme stark, ja in gewisser Hinsicht vielleicht zu stark in den Vordergrund gerückt worden. Dann aber wurde mir immer mehr klar, daß von allen Kulturerscheinungen die Religion die bedeutendste und bestimmendste ist. Burckhardt sagt in seinen weltgeschichtlichen Betrachtungen: »Hohe Ansprüche haben die Religionen auf die Mutterschaft über die Kulturen, ja die Religion ist eine Vorbedingung jeder Kultur, die den Namen verdient, und kann sogar geradezu mit der einzig vorhandenen Kultur zusammenfallen.« Und Spengler sagt: »Alle Wissenschaft ist an einer

Religion und unter den gesamten seelischen Voraussetzungen einer Religion erwachsen.«

Ich durfte also hoffen, daß ich die Kulturgeschichte des Buches in ihrem Hauptstück erfasse, wenn ich bei der Religion beginne. Darüber hinaus aber ist es für mich, der ich es von Beruf mit dem Buch zu tun habe, eine Frage von entscheidender Bedeutung, wie gerade das Höchste im Menschenleben vom Schrifttum bestimmt wird.

Ich sage wieder wie oben »Schrifttum«; denn es wäre lächerlich, die Untersuchung erst bei der Entstehung des Wortes Buch oder gar erst bei der Erfindung der Buchdruckerkunst beginnen zu wollen. Es gilt doch Grundsätzliches zu gewinnen, darum muß auf den Grund gegangen werden. Dieser aber ist im vorliegenden Fall die »Schrift«.

Man fürchte deshalb nicht eine unnötige Verbreiterung der Fragestellung oder gar ein Eingehen auf das religiöse Schrifttum aller Zeiten und Völker. Wer etwa Heilers Werk über das Gebet kennt, weiß, wie schwer selbst ein Einzelabschnitt wie dieser von einem Menschen allein erschöpfend behandelt werden kann. Und doch muß eine soziologische Untersuchung wie die von mir gewagte auf völkerkundlichen Tatsachen aufbauen. Dies zeigt sich schon, wenn wir uns die Frage vorlegen nach den in der Schrift wirksamen Kräften.

Es leuchtet ein, daß die Festhaltung einer Tatsache oder gar eines Gedankens durch Schriftzeichen, möge es sich um Runenzeichen oder um primitive Bilderschrift handeln, auf den Naturmenschen einen tiefen, geheimnisvollen Eindruck macht. Er, der hauptsächlich körperlich, sinnlich lebt, macht die Erfahrung, daß es ein Mittel gibt, um zeitlich und räumlich in die Ferne zu wirken. »Projektion der Rede in Zeit und Raum«[3] muß oft um so zauberhafter anmuten, je mehr die verwendeten Zeichen von einer Bildzeichnung abweichen, je größere Kenntnisse dazu gehören, das Schriftsystem zu handhaben. Ein Forscher[4] hat das Schriftproblem ganz aus dieser magischen Grundlage zu lösen versucht und ein anderer betont die Bedeutung der Schrift als Zaubermittel[5]. In den meisten völkerkundlichen Schriften ist aber wenig davon die Rede, daß eben aus jener Besonderheit die enge Verbindung von Schrift- und Priestertum zu erklären ist. Wohl fand ich in manchen Ausführungen[6] über das Priestertum Andeutungen, wie sehr gerade bei den Naturvölkern das Priestertum auf der Überlegenheit in geistiger Hinsicht beruht, über seine Bedeutung für das Schrifttum ist aber wenig gesagt, und doch läge gerade bei uns in Deutschland ein Hinweis darauf so nahe, war doch die Runenschrift ausgesprochen eine Priesterschrift und beherbergten im Mittelalter doch die Klöster die Vertreter des Schrifttums.

Doch halten wir als geheimnisvolle Kraft der Schrift die Wirkung in Zeit und Raum fest. Über die Wirkung in die Zeit wird noch manches zu sagen sein, darum sei das wenige, was hier über die Wirkung in den Raum zu sagen ist, vorangestellt. Greifen wir hier in unsere eigene Geschichte, die des Christentums hinein, so finden wir von den Briefen der Apostel angefangen bis in die jüngste Zeit hinein Beispiele einer solchen Wirkung der Schrift in den Raum. Ihr ist es zu verdanken, daß das Christentum in der antiken Welt trotz des für damalige Verkehrsverhältnisse übergroßen Raumes des römischen Reiches sich so rasch ausdehnte und zugleich inneren Zusammenhang fand und befestigte. Und wie wäre Luthers rasche Wirkung über ganz Deutschland und darüber hinaus zu erklären, wäre nicht die Verbreitung seiner Schriften, freilich gesteigert durch die Druckkunst, in einem Grade möglich gewesen, der nur noch übertroffen wird durch die Verbreitung aller Nachrichten mit Hilfe der Elektrizität, die jetzt im Zeichen des Radio einen Höhepunkt erreicht zu haben scheint!

Hier darf auch eine Erscheinung nicht unerwähnt bleiben: die päpstlichen Hirtenbriefe. Die Anhänger des evangelischen Bekenntnisses waren bisher zu sehr geneigt, die Macht des Erfolges zu unterschätzen, wenn in allen Kirchen der ganzen katholischen Welt an einem Tage ein- und dieselbe Verlautbarung des Kirchenoberhauptes verlesen wird. Bewußt wird hier die Überwindung des Raumes durch die Schrift in den Dienst der Zusammengehörigkeit gestellt und es ist gut, daß allenthalben die Erkenntnis der Bedeutung solcher Verlautbarungen durchbricht.

Doch noch weit mehr als die Wirkung in den Raum hat die in die Zeit etwas Zauberhaftes an sich. Dieser Zauber mag bei Naturvölkern, die dem Seelenkult dienten, besonders wirksam sein, so daß hier schon eine enge Berührung mit dem Religiösen gegeben ist. Und in der Tat scheint – wie ich oben schon zeigte – schon auf niederer Stufe eine enge Verbindung zwischen Priesterschaft und Schrifttum zu bestehen. Freilich ist das Priestertum nicht gleichbedeutend mit Religion, aber zweifellos ist der Priester der Hüter der religiösen Überlieferung. So kommt es, daß wohl alle Religionen durch heilige Schriften leben und lebten mit Ausnahme der vedischen des alten Indiens[7]. Die Brahmanen, die Priesterkaste dieser Religion, kannten nur die mündliche Überlieferung der alten heiligen Gesänge. Wie die Christen die Bibel, auf deutsch – wie man sich immer wieder ins Gedächtnis zurückrufen sollte – das »Buch«, der Islam den Koran, die Buddhisten die Reden Buddhas und die folgenden kanonischen Schriften als Überlieferung besitzen, so schrieb Laotse, der »alte Lehrer«, im Taoteking seinem Volk, das er im Zorn über seine sittliche Verworfenheit verließ, die alten Lehren seiner Religion nieder, damit es sich wieder daran emporraffe; so waren die Schriften Kungfutses nichts anderes als eine Sammlung der alten kanonischen

Schriften; so besaßen die persischen Anhänger des Zarathustra im Avesta ihre heilige Schrift.

Daß in Ägypten das Schrifttum im religiösen Leben eine besonders große Rolle spielte, erklärt sich zwanglos aus dem besonders günstigen Schreibstoff. So bekam jeder Tote eine Reihe von Papyrusrollen mit ins Grab, auf denen Zauberformeln geschrieben waren, um die Gefahren der Seele auf dem Weg in den Himmel zu überwinden. In Hermopolis verehrte man den Mondgott Thot auch als Erfinder der Schrift.

Aus dem alten Ägypten läßt sich auch ein Beispiel der zeitlichen Fernwirkung der Schrift melden, wie es kaum ein ähnliches gibt: Im 14. Jhdt. v. Chr. machte Amenophis IV. den Versuch, die Vielgötterei auszurotten und durch die alleinige Verehrung der Sonnenscheibe, Aten, zu ersetzen. Mit Hilfe seiner Theologen wurde der Kult systematisch durchgebildet. Er blieb eine Episode. Aber die Sonnenspekulationen blieben erhalten, und man wird nicht fehlgehen, daß die Logosspekulationen des Ägypters Philo in ihnen wurzeln, jene Logosspekulationen, die durch die christlichen Theologen der alexandrinischen Schule, Clemens, Origenes und Athanasius, von entscheidendem Einfluß auf das christliche Dogma wurden, durch dieses bis auf unsere Zeit, also schon im vierten Jahrtausend, wirksam sind.

Lassen Sie mich hier nur kurz erwähnen, daß auch bei den Griechen eine reiche mythologische Literatur bestand, daß der auf den Buddhismus in Indien folgende Hinduismus unter Zurückgreifen auf die vedische Überlieferung eine reiche Literatur bis auf unsere Tage entwickelt hat, mit der er in jüngster Zeit durch Vertreter wie Rabindranath Tagore auch in das Abendland herüberwirkt.

Eingehendere Behandlung der zeitlichen und räumlichen Fernwirkung des Schrifttums erfordert hier aber das Christentum, wenn ich mich auch auf eine Reihe von Andeutungen beschränken muß, um mich tiefer schürfender Betrachtung zuwenden zu können. Man bedenke, daß heute die Bibel allein von der Britischen Bibelgesellschaft in ganzer Ausdehnung in 135 Sprachen, das Neue Testament allein in 127, einzelne Teile der Bibel in 295, insgesamt also in 537 Sprachen vertrieben wird. Man überlege ferner, daß die Britische Bibelgesellschaft bis zum Jahre 1903 schon gegen 300 Millionen biblische Bücher hinausgab, daß noch von unzählig vielen Stellen Bibeln gedruckt werden in unbekannt hohen Auflagen, so erhält man eine räumliche Fernwirkung von nie dagewesener Ausdehnung, d. h. fast wo ein Mensch des Lesens kundig ist, steht ihm eine Bibel zur Verfügung.

Daneben steht die um über 1½ Jahrtausend wirkende zeitliche Fernwirkung der Bibel in der von den Kirchenvätern festgelegten Gestalt, der die Wirkung der einzelnen Teile des Neuen Testaments um mehrere, des Alten Testaments um schwer zählbare Jahrhunderte vorangeht. Man denke der vielen fleißigen Hände, die im Altertum und Mittelalter durch Abschrift und Übersetzung zur Erhaltung und Verbreitung der Bibel beitrugen. Fünfzig Evangelienhandschriften ließ Konstantin für seine Stadt Konstantinopel herstellen, und seit dem 4. Jahrhundert bürgerte sich der Brauch ein, bei den heiligen Büchern den Schwur zu leisten. Vor allem aber betrachten Sie in diesem Zusammenhang Luthers Übersetzungstat, die für uns Deutsche im Verein mit der Buchdruckerkunst erst den Grund legte zu jener schon erwähnten märchenhaften Fernwirkung in alle Teile der Bevölkerung. Hier mag erwähnt sein, daß ich bei einer Buchhändlerfamilie, den Nürnberger Endter, im 17. und 18. Jahrhundert eine Unzahl von evangelischen und katholischen Bibelausgaben feststellen konnte, angefangen von den vielen Ausgaben der Kurfürstenbibel im großen Format bis zu lateinischen und deutschen Ausgaben der Vulgata, sogar eine ganz auf Pergament gedruckte lutherische Ausgabe im Oktavformat ging durch meine Hände.

Weiter sei erwähnt die riesenhafte Verbreitung mancher Andachtsbücher. Ich erwähne, von den Meßbüchern, Gesang- und Gebetbüchern abgesehen, als Beispiele das Buch von der Nachfolge Christi des Thomas von Kempen, das seit dem 15. Jahrhundert in zahllosen Ausgaben und Übersetzungen weiterwirkt, weiter des evangelischen Theologen Arnd »Wahres Christentum« und sein »Paradiesgärtlein«, letzteres ein Buch, das im 17. Jahrhundert wohl alle Buchdrucker Deutschlands in ungezählten Auflagen druckten. Dies mag an Beispielen und Hinweisen für die äußere Machtentfaltung des Schrifttums auf christlich-religiösem Gebiet genügen.

Dürfen wir aber nur diese Lichtseite sehen? Gibt es nicht auch Nachtseiten des Schrifttums, die auch ihre Schatten auf die Religion werfen? Nicht von der Unzahl religionsloser oder religionsfeindlicher Schriften soll hier die Rede sein. Nein, in sich selbst birgt das Schrifttum einen tödlichen Keim, auch da, wo es edelstes Religionsgut vermittelt.

Die Schrift ist nur ein Bild des gesprochenen Wortes. Und wie uns auch das beste Bild eines Menschen uns diesen selbst nicht ersetzen kann, ebensowenig kann die Schrift das gesprochene Wort ersetzen. Ihr fehlt der Ton der Stimme, ihr fehlt die Geste. Selbst wenn das Geschriebene noch so lebendig anmutet, man die hinter ihr stehende Persönlichkeit greifen zu können meint, die meisten Fäden, die unsichtbar von der redenden Person zu den Hörern führen, sind zerschnitten. Man erinnere sich, wie manche Rede oder Predigt, die uns im Innersten gepackt hat, uns unbegreiflich schal anmutet, wenn wir sie später gedruckt lesen, wie mancher Satz als platt erscheint, der unter dem Blick der redenden Persönlichkeit erschütternd wirkte. »Ein Ding soll man wissen,« sagt Seuse, »so ungleich es ist, wenn man ein süßes Saitenspiel selber hört süß erklingen, im Vergleich dazu, daß man nur davon hört sprechen, ebenso ungleich sind die Worte, die in der lauteren Gnade empfangen werden und aus einem lebendigen Herzen durch einen lebendigen Mund ausfließen, im Vergleich zu den selbigen Worten, wenn sie auf das tote Pergament kommen. Denn so erkalten sie, ich weiß nicht wie, und verbleichen wie die abgebrochenen Rosen.«

Durch die Unzulänglichkeit schriftlicher Übermittlung entsteht eine doppelte Gefahr: Der Leser liest aus den Worten mit seiner Phantasie das heraus, was ihm entspricht, er ist weniger »gefesselt« als der unter dem Bann der Rede Stehende. Das Gespenst der falschen Deutung oder auch nur des Mißverständnisses erhebt sich drohend. Da aber, wo dem Leser die Phantasie mangelt, fehlt überhaupt das wichtigste Organ des Verstehens, das »Sich-in-den-anderen-Hineinversetzen«. Die Folge ist unfruchtbare Kritik, und an Stelle des Lesens, d. h. des *Zusammen*lesens der Buchstaben zu Gedanken des Schreibers, tritt ein *Zer*lesen und Zerpflücken: Die Schrift ist tot, wenn nicht der Leser ihr Leben gibt! Wie eine gepreßte Blume trotz vielleicht gut erhaltener Farbe tot ist und erst Leben gewinnt, wenn der Beschauer sie sich auf blühender Wiese, vom Wind bewegt, von der Sonne beschienen, umgeben von Gras und anderen Blüten, denkt, so hängt bei der Schrift alles davon ab, ob ein wirklicher Leser da ist.

Und darum hat Paulus (1. Korinth. 8, 1) recht, wenn er sagt: »Das Wissen blähet auf.« Denn Wissen ist nur das Ansammeln der toten Tatsachen. Tat*sachen* sind tot, solange nicht eine schöpferische Phantasie aus ihnen Neues baut. Reden die Leute schon viel, so schreiben sie noch viel mehr aneinander vorbei. Ein wirklich guter Schriftsteller wird daran erkannt, daß er mit seiner Darstellungsweise den Leser so anregt, daß mühelos dessen Phantasie in Kraft tritt, um das an sich tote Satzgefüge zu beleben. Darum ist ein Buch um so toter, je *wissen*schaftlicher es ist; denn um so mehr ist das mit den Gedanken des Schreibers eingetreten, was Fendt in seinem Buch über die Entwicklung der christlichen Gottesdienstformen »Versachlichung« nennt. Nur nebenbei sei bemerkt, daß die fremdwortwütigen deutschen Gelehrten ihre Welscherei mit der Wissenschaftlichkeit begründen. Sie haben recht; aber sie dienen damit eben jenem Wissen, das aufbläht, weil es keine Phantasie gibt, die diesen toten Wortgebilden Leben einhauchen kann.

Unter diesen Gesichtspunkten gesehen, gewinnt die Stellung Christi zum geschriebenen Wort ihren vollen Sinn. »Weh' euch, Schriftgelehrte und Pharisäer, ihr Heuchler, die ihr gleich seid wie die übertünchten Gräber, welche auswendig hübsch scheinen, aber inwendig sind sie voller Totenbeine und alles Unflats!« (Matth. 23, 27.) Das heißt eben, daß die Schriftgelehrten und Pharisäer Buchstabenwissen die Menge hatten, nicht aber den Sinn, der hinter der Schrift steht. Matth. 23, 17–22 liest sich wie eine Predigt gegen die Versachlichung. Zu den Schriftgelehrten und Pharisäern ist Mark. 3, 28–30 das Wort von der Sünde gegen den Heiligen Geist gesprochen. An einer Stelle (Luk. 11, 52) tritt deutlich hervor, daß Jesus nicht wegen der Versachlichung der alttestamentarischen Überlieferung den Schriftgelehrten und Pharisäern den Hauptvorwurf macht, sondern deswegen, weil sie diese Versachlichung zur Norm erhoben, indem sie für sich allein die Schriftkenntnis beanspruchten: »Weh' euch Schriftgelehrten! Denn ihr habt den Schlüssel der Erkenntnis weggenommen und wehret denen, die hineinwollen.« Dieser Schlüssel der Erkenntnis ist nichts anderes als jene unmittelbare Aneignung des eigentlichen Wortinhalts durch das eigene Vorstellungsvermögen, durch die ungebrochene Phantasie, wie gewöhnlich gesagt wird, d. h. eben durch jenes Organ, das im Gegensatz zur Wissenschaft aufs Ganze geht und auf Zergliederung verzichtet. »Nichts ist trennender vom Volke als Wissenschaft,« sagt Ricarda Huch[8], »die Trennung nach der wissenschaftlichen Ausbildung löst im Volke noch mehr auf als die Trennung nach Adel und Reichtum. Solange die Kultur auf der Phantasie beruht, ist sie dem ganzen Volke zugänglich; die Wissenschaft vereinzelt, ohne irgendeine neue Erkenntnis zu schaffen. Sie zerlegt die einheitliche Idee in Begriffe und macht damit eine Sprache, die nur von Eingeweihten verstanden werden kann; durch die Vorherrschaft dieser bewußten Sprache verkümmert die anschauliche, die aus dem Unbewußten quillt, die bewußte wird immer dürrer und lahmer, da sie des Zustroms aus der Quelle entbehrt, und putzt sich dementsprechend mit desto künstlicheren Lappen auf.« Es ist dies eine Wahrheit, die für unsere wissenschaftsfreudige Zeit schmerzlich ist. Daß sie von einer Frau so klar ausgesprochen wird, zeigt, daß eben die Frau unberührter von der Versachlichung unserer Kultur blieb.

Tritt nun hinsichtlich der religiösen Überlieferung eine Trennung zwischen Eingeweihten und Uneingeweihten ein, so ist die Religion in der Wurzel getroffen. Das ist die Erkenntnis, von der Jesus durchdrungen war. Denn ausdrücklich betont er ja, daß er nicht gekommen sei, um das Gesetz aufzulösen, und Matth. 5, 18 sagt er: »Bis daß Himmel und Erde vergehe, wird nicht zergehen der kleinste Buchstabe, noch ein Tüttel vom Gesetze,« und auch Lukas berichtet Kap. 16, 17 das gleiche. Und wie oft beginnt seine Antwort mit dem Hinweis: »Es steht geschrieben.« Freilich muß hier auch das 5. Kapitel des Matthäus herangezogen werden, in dem die mehrfache Gegenübersetzung »Ihr habt gehört, daß zu den Alten gesagt ist« und dann das »Ich aber sage euch« wie ein Bruch mit dem Alten Testament erscheint. Dieser soll nicht geleugnet werden, aber gerade aus dieser Stelle erkennt man, daß dieser Bruch darin besteht, daß Jesus über das Alte Testament hinausgehen will. Er sagt mit kurzen Worten: Es genügt nicht, die Verbote des Gesetzes einzuhalten, sondern es gilt, die schlechte Handlung durch die gute zu ersetzen. Jesus erkannte klar, daß eben jener Bann, in den die Versachlichung der Überlieferung seine Zeit geschlagen hatte, nicht nur durch den Hinweis auf den Schaden selbst – er hat es ja mit herben Worten den überheblichen Eingeweihten gegenüber oft getan – gebrochen werden kann und darum mußte er über die Gesetzesüberlieferung hinausschreiten in die Welt der freien, gottbewußten, sittlichen Tat, die weit entfernt ist von jener buchstäblichen Einhaltung geschriebener Gebote, die noch dazu, wie er deutlich sah, immer mehr verblaßt waren unter der Einwirkung menschlicher Gesetze: »Ihr verlasset Gottes Gebot und haltet der Menschen Aufsätze,« sagt er Markus 7, 8.

Alexander von Humboldt sagt wohl einmal, daß die Sprache nicht nur ein ἔργον (ergon), ein Werk, sondern auch eine ἐνεργια (energia), eine lebendige Kraft sei. Das gilt ebenso vom Schrifttum, und Jesus hat das deutlich erkannt und suchte durch seine Lehre eben jene lebendige Kraft wirksam zu machen, während die Schriftgelehrten nur das Werk, die abgeschlossene Sache, kannten.

So steht die religiöse Persönlichkeit des Christus bewußt einerseits im Gegensatz zu dem Schrifttum, das seiner Jugend Religion vermittelte, andererseits aber nicht minder bewußt *in ihm* selbst; nur sieht er es mit anderen Augen als seine abgestumpfte Zeit. »Hat euch nicht Moses das Gesetz gegeben? Und niemand unter euch tut das Gesetz.« (Joh. 7, 15 u. ff.) Er reckt sich zur ganzen Größe seiner religiösen Persönlichkeit und bringt sich selbst zum Opfer, um dem toten Buchstaben wieder neues Leben zu geben. Er fühlt sich von Gott dazu berufen und seines Sieges *im Sinne der Schrift* sicher, darum sagt er: »Wer an mich glaubt, *wie die Schrift saget*, von des Leibes werden Ströme des lebendigen Wassers fließen.« (Joh. 7, 32.)

So bekommt der Anfang des Johannesevangeliums seinen Sinn: »Im Anfang war das Wort, und das Wort war bei Gott, und Gott war das Wort.« Dieses Wort hatte höchste Schöpferkraft, es war Gestaltungskraft und »Sinn an sich«: »Dasselbige war im Anfang bei Gott. Alle Dinge sind durch dasselbige gemacht, und ohne dasselbige ist nichts gemacht, was gemacht ist.« Seine Lebenskraft wirkte auch in den Menschen: »In ihm war das Leben, und das Leben war das Licht der Menschen.« Da aber kommt eben jene Finsternis der Versachlichung, jene geistlose Buchstabenleserei, die am Sinn vorbeigeht, indem sie meint, mit dem buchstäblichen Inhalt das Wesen ergriffen zu haben. »Und das Licht scheinet in die Finsternis, und die Finsternis hat's nicht begriffen.« Die große Wendung bringt der Erlöser: »Und das Wort ward Fleisch.« Das heißt: Durch die Person des Heilands bekam das Wort auch für die Umwelt, der es toter Buchstabe geworden war, wieder Leben, Sinn und lebendige Kraft.

Ich will mit dieser Deutung nicht etwa das Logosproblem, mit dem sich so viele vom frühen Christentum bis heute abgequält haben, ähnlich gewaltsam lösen wie Goethes Faust, der da sagt: »Im Anfang war die Tat.« Die geheimnisvolle Kraft eben des Wortes, das bei Gott dem Schöpfer von Anfang an war und das die Welt hervorrief, kann ich so wenig fassen wie alle jene Denker. Meine Erklärung des Anfangs des Johannesevangeliums läßt den geheimnisvollen Kern des schöpferischen Logos unberührt; sie zeigt aber, wie eben jener Kern den Menschen in Vergessenheit kam, weil sie die Schale für die ganze Nuß nahmen. Durch die Person Christi wurde diese Schale gesprengt und die Wirksamkeit und Keimkraft des Kernes den Menschen zurückgegeben.

Gerade die Einstellung Christi zur schriftlichen Überlieferung ist es, was seiner Lehre das Gepräge gibt. Lassen Sie mich hier kurz Vergleiche mit dem Buddhismus und dem Islam ziehen.

Wenn Sie die religiöse Gestalt des Buddha betrachten, so – es ist das ja allbekannt – finden Sie manche Züge, die auch bei Jesus zu finden sind: Er entstammt nicht der Priesterkaste, aber er ist hochgebildet und setzt wie der zwölfjährige Jesus seine Umwelt durch seine Begabung in Erstaunen: »Als er in das Jünglingsalter eintrat – Lernt er das, was seinem Stande zukommt – Was bei anderen manches Jahr erfordert – Leicht und sicher in nur wenigen Tagen«, heißt es in »Buddhas Wandel«, einer der ältesten Überlieferungen des Buddhismus. Auch aus anderen Stellen dieser Schrift geht deutlich hervor, daß er reiches Wissen hat und stolz darauf ist. Nun aber kommt der große Unterschied: Während Jesus mit seinem religiösen Schöpfertum der alten Überlieferung ihren Sinn zurückgibt, aus totem Wissen lebendige Religion macht, sucht der Buddha die alte Lehre seines Landes, die der Seelenwanderung, bewußt zu verdrängen. Gewiß tut er dies in an sich tief religiöser, aus stärkstem Erleben hervorquellender Gedankenarbeit, aber der Bruch mit dem Vorhergehenden ist da, nicht nur äußerlich wie bei Jesus, sondern innerlich. Wieweit allerdings auch bei Buddha den Anstoß zu seiner Wirksamkeit eine Versachlichung der religiösen Überlieferung seiner Zeit gegeben hat, entzieht sich meiner Beurteilung. Bezeichnend für diesen großen Religionsstifter Indiens ist aber, daß auch er wie Jesus nichts Schriftliches hinterließ; auch er predigte in lebendiger Sprache unter Verwendung von vielen Bildern und Vergleichen. Erst seine Jünger schreiben seine Reden auf.

Anders Mohammed, der Prophet des Islams, der weit unter dem indischen Großen steht, eben gerade deshalb, weil er selbst seine Lehre in Schrift erstarren ließ. Eine Menge verschiedenster religiöser Überlieferungen hatten auf ihn eingewirkt, und aus ihnen baute er seine neue Lehre. Diese war aber eben aus Überlieferung zusammengesetzt; sie war keine Auseinandersetzung mit ihr wie bei Buddha oder eine Zurückeroberung ihres innersten Kerns wie bei Jesus, und darum wurde sie selbst rasch starre Überlieferung, die dann Jahrhunderte als Geißel die christliche Welt schlug. Bemerkenswert ist die Erzählung, die Mohammed selbst von seiner Berufung in der 96. Sure gibt:

Allah selbst oder der Engel Gabriel war ihm erschienen und hatte ihn aufgefordert:

»Lies im Namen deines Herrn, der dich schuf

lies, dein Herr ist's, der dich erkor,

den Menschen schuf aus zähem Blut

und unterwies mit dem Schreibrohr

den Menschen unterwies in dem, was er nicht wußte zuvor,«

da las er, die Erscheinung wich von ihm, er erwachte aus seinem Traum und es war ihm, als trüge er die Worte ins Herz geschrieben. Also schon in seiner Berufung spielt die Bedeutung der Schreibkunst eine besondere Rolle.

Deutlich tritt bei Christus, Buddha und Mohammed das Verhältnis zum Schrifttum hervor. Alle drei stehen in einer religiösen Überlieferung, nur Mohammed aber schafft selbst schriftliche Überlieferung, während der Buddha und Jesus mit der ganzen Wucht des gesprochenen Wortes wirken. Jesus allein aber ist der Kämpfer gegen die Versachlichung des lebendigen Wortes. Auch in diesem Punkt gibt es eine Nachfolge Christi. Das möge jeder bedenken, der mit dem Schrifttum zu tun hat, aber auch jeder, der religiöse Persönlichkeiten oder religiöse Gemeinschaftsformen auf ihren Wert beurteilen will.

Es liegt nahe, daß man die Gefahr der Versachlichung durch die Schrift durch Verwerfung der Schrift überhaupt vermeiden möchte. Abgesehen davon aber, daß man damit die Überlieferung hemmungslos der Willkür preisgibt, liegt darin doch auch eine Verkennung des Wertes der Schrift für die Religion. Man würde damit den Kampf in falscher Front fechten: statt gegen die Versachlichung des Wortes für dessen Auslöschung, statt für lebendigen Leserwillen für hemmungslose Willkür.

Lebendiger Leserwille! Damit sind wir an dem Punkt, der wenigstens an zwei Beispielen aus der Geschichte des Christentums herausgearbeitet werden soll, zwei Beispielen, die trotz aller Ähnlichkeit doch von größter Verschiedenheit sind: Augustin und Luther.

Verzehrt von der Glut sinnlicher Leidenschaft suchte Augustin durch die Philosophie den inneren Seelenfrieden zu erringen. Ciceros Hortensius vermochte aber nicht die Bande zu lösen. Es folgte eine Zeit, in der Augustin auf philosophischem Wege sich christliche Ideen aneignet. Die Predigt des Bischofs Ambrosius von Mailand mag den Weg dahin gebahnt haben, daß es Augustin gelang, weiterhin tief beeinflußt von Gedankengängen des Neuplatonismus, zu einer verstandesmäßigen Erfassung der christlichen

Heilslehre vorzudringen. Von dem Einfluß der Predigten des Mailänder Bischofs abgesehen, durchlief also Augustin im wesentlichen eine ganze Stufenleiter literarischer Eindrücke, und auch seine erste Erfassung des Christentums war rein literarisch, wie aus seiner Erzählung im 6. Kapitel des 8. Buches seiner Bekenntnisse deutlich wird. Vor allem in den Schriften des Apostel Paulus hatte er, wie er erzählt, häufig gelesen. Erst aber die Erzählung des Pontidianus von jener Bekehrung vor den Toren Triers führte Augustin zu jenem Höhepunkt[9] in seinem Leben, in dem auf einmal das literarische Wissen Leben gewann, um wie ein Sturzbach die ganze Persönlichkeit mitzureißen.

Um diesen Vorgang zu erfassen, muß ich kurz jene Bekehrungsgeschichte an der Hand von Augustins Bekenntnissen ins Gedächtnis zurückrufen: Pontidianus hatte sich mit drei Freunden vor den Toren Triers ergangen, er und einer der Freunde hatten sich zufällig von den beiden andern getrennt. Diese aber waren auf ihrem weiteren Weg zu einer Hütte gelangt, die Mönchen gehörte. Sie fanden darin ein Buch über das Leben des heiligen Antonius. Der eine las, »Staunen erfaßte ihn, und er fing Feuer, und beim Lesen kam ihm der Gedanke, selber so ein Leben zu ergreifen«. Sie sehen also, worin bei Augustin das Erlebnis beim Hören dieser Geschichte bestanden haben muß: Er erkannte plötzlich, daß er bisher nur Buchstaben gelesen hatte, während jener vor Trier Bekehrte eben jenen lebendigen Leserwillen aufgebracht hatte, der das hinter den Buchstaben verborgene Leben selbst erfaßt; er erkannte, daß ihm die eigene Aufgeschlossenheit der Überlieferung gegenüber bisher gefehlt hatte. Mit dieser Erkenntnis aber war das Tor aufgestoßen zu einem neuen Leben: Er war für das Christentum, das Christentum für ihn gewonnen.

Anders bei Luther. Sie wissen alle, wie Luther nach seinem Eintritt ins Kloster nicht nur mit Fasten und Beten, sondern auch mit eifrigem Studium um den inneren Frieden rang. Gewiß erinnert dieses Ringen im gewissen Sinne an jenes philosophische Bemühen Augustins, aber für Luther stand von vornherein fest, daß er als Christ, als der er aufgewachsen und erzogen war, jenes Heil finden müsse, für ihn kam eine Wendung, wie sie Augustin von der sterbenden Antike zum jungen Christentum machen mußte, nicht in Frage. Gerade darum aber konnte ihm kein solches Erlebnis wie das des Augustin plötzlich das Tor öffnen. Mit zähem Fleiß und nüchterner Geduld mußte er jenen Schutt der »Versachlichung« hinwegräumen, den die Kirche aufgehäuft hatte. Dann aber stand er erst an der Überlieferung, wie sie durch die Bibel gegeben war. Augustin hatte die paulinischen Schriften gelesen, mußte aber erst noch jenes Erleben haben, um sein Damaskus zu erleben. Luther brauchte kein Damaskus in diesem Sinne, gerade darum aber wurden für ihn die Schriften des Paulus zum Schlüssel für die biblische Überlieferung.

Dadurch war es ihm auch möglich, für das Leben der christlichen Überlieferung zu kämpfen, und die größte Tat in diesem Kampf war eben die Bibelübersetzung. Mit ihr war der Weg frei für jeden, der eben mit seinem lebendigen Leserwillen an die Schrift heranging.

Mit diesem Vergleich der Stellung Augustins und Luthers zum Schrifttum ist nichts gesagt über den Wert der religiösen Persönlichkeiten. Die hier berührten Vergleichspunkte zeigen gerade, wie verschieden der Weg Augustins und der Luthers trotz aller Ähnlichkeiten sind. Im Zusammenhang dieser Betrachtungen aber sind sie zwei, wenn auch ganz verschiedene Zeugen für den Wert religiöser Überlieferung durch die Schrift, gleichzeitig aber auch zwei Zeugen, wenn auch ganz verschiedene, für die Notwendigkeit, daß der Leser das Wesentliche dazu geben muß, um dem Geschriebenen Leben zu verleihen; denn was bedeutet letztlich Luthers »allein durch den Glauben« anderes als die Aneignung der Heilsüberlieferung aus innerer Seelenkraft?

Wenn Sie die Galerien Europas durchwandern und die Darstellungen der »Verkündigung« betrachten, so werden Sie bei den alten Meistern fast immer die gleiche Darstellung der »Verkündigung« finden: Maria kniet am Betschemel, auf dem aufgeschlagen das Gebetbuch liegt. Sie liest aber nicht mehr darin, sondern sie hat den Blick weggewendet, dem Verkündigungsengel zu. Noch deutlicher aber zeigt ein alter rheinischer Meister der Münchner Pinakothek, wie der religiöse Mensch zum Buch steht: Vor dem noch aufgeschlagenen Buch kniet der heilige Franziskus, sein Blick aber richtet sich in die Höhe, wo in den Wolken der Gekreuzigte erscheint, von dem die Strahlen ausgehen, die dem Heiligen die Wundmale Christi aufdrücken. Im Hintergrund aber sitzt ein Genosse des Heiligen, tiefgebeugt über ein Buch. Er liest noch, während der Heilige das Gelesene erlebt. Deutlicher kann die Bedeutung des Buches für den »religiösen Akt« nicht veranschaulicht werden. Dieser aber gehorcht, wie Scheeler sagt, einer Eigengesetzlichkeit. Und Otto hat in seinem bekannten Buch über das Heilige deutlich gesagt, wie eben dieses Heilige jenseits aller geistiger Arbeit liegt: »Es ist nicht lehrbar, nur erweckbar aus dem Geiste. Man behauptet bisweilen dasselbe von der Religion überhaupt und im ganzen. Mit Unrecht. In ihr ist sehr vieles lehrbar, d. h. *in Begriffen überlieferbar* und auch in schulmäßigen Unterricht überführbar. Nur eben nicht dieser ihr Hinter- und Untergrund. Er kann nur angestoßen, angeregt, erweckt werden. Und dies am wenigsten durch bloße Worte.«

Luther sagt das gleiche nicht minder deutlich: »Wenn du es im Herzen wahrhaft fühlest, so wird dir's ein groß' Ding sein, daß du vielmehr stillschweigen wirst, denn etwas davon sagen.« Auch Augustins Größe soll hier nochmal sprechen: »Es spricht zu allen,« sagt er, »aber die verstehen's nur, die das Vernommene drinn in ihrer Seele mit der Wahrheit zu vergleichen wissen.«

Damit stehe ich am Ende meiner Betrachtungen. Deutlich heben sich zwei Dinge heraus: Einmal die Kraft der schriftlichen Überlieferung als »Reiz und Veranlassung« und damit ihr hoher Wert für den religiösen Menschen, zum andern aber ihre Belanglosigkeit für den eigentlichen Kern aller Religion. Die Persönlichkeit des Lesers wird darum zur entscheidenden Kraft.

Mancherlei Fragen tauchen nun auf, von denen nur zwei berührt seien: Ist mit solcher Erkenntnis nur für die Religion die Grenze der Wirksamkeit des Buches gegeben? Ich glaube: Nein; auch alle anderen Gebiete menschlicher Kultur stehen unter dem gleichen Gesetz, soweit die Wirksamkeit des Schrifttums in Frage kommt.

Weiter aber: Was ist die *praktische* Folgerung für uns? Doch wohl nichts anderes als die Prüfung unserer religiösen Literatur daraufhin, wieweit sie Versachlichung ist, Sprache, die nicht mehr tönt oder vielleicht nie getönt hat. Nur so werden wir die anregende Kraft der Überlieferung nutzbar machen, nur so entsteht religiöse Erkenntnis. Bescheiden aber sollen wir bekennen, daß über dieser Erkenntnis der Glaube steht. Dieser Glaube aber ist, wie ein junger Schweizer Theologe schön sagt, »ein Innewerden, daß alle Erkenntnis etwas anderes meint, als sie selber gibt, etwas hinter ihr selbst, daß sie nur ein Hinweis ist auf etwas Urlebendiges, jenen Ursprung, der unser Freiseinkönnen und den Reichtum des Lebens erst möglich macht«. Dieser Glaube ist »ehrfürchtige Anschauung des göttlichen Wunders«. Darum läßt sich nicht leicht Tieferes über das Verhältnis des religiösen Menschen zum Buch sagen als die Schlußworte des Cherubinischen Wandersmanns:

»Freund, es ist immer genug. Im Fall du mehr wilt lesen,

So geh' und werde selbst die Schrift und selbst das Wesen.«

Fußnoten

[2] Über Anmerkungen in Büchern (siehe »Aus Wissenschaft und Leben«, Gießen 1911.)

[3] Hoernes, Natur- u. Urgeschichte d. Menschen, Wien u. Leipzig 1909

[4] Dawzel, Die Anfänge der Schrift, Leipzig 1912

[5] Weule, Vom Kerbstock zum Alphabet, Stuttgart 1915

[6] Schurtz, Urgeschichte der Kultur, Leipzig u. Wien 1900, Hoernes a. a. O. bringt eine sehr treffende Stelle aus Vierkandt, Naturvölker und Kulturvölker

[7] Ich halte mich in der folgenden Darstellung an Richter, Die Religionen der Völker, München und Berlin 1923

[8] Der Sinn der heiligen Schrift, Leipzig 1919

[9] Harnack, Aus der Friedens- und Kriegsarbeit, Gießen 1916

 Emil Brunner, Erlebnis, Erkenntnis und Glaube, 2. u. 3. Aufl., Tübingen 1923

Buchhandel als Beruf

In einer Buchhändlerzeitschrift las ich den Satz: »Beruf ist, wozu sich einer berufen fühlt.« Das ganze Elend unserer Zeit kann nicht besser gekennzeichnet werden, als durch diese Behauptung. Denn ist sie richtig, wie viele Menschen haben dann einen Beruf? Fühlt sich ein Straßenkehrer zum Straßenkehren berufen? Hat sich nicht manch einer, der frei seinen Beruf wählte, einmal berufen gefühlt, merkt nun aber, daß er falsch gewählt hat, sei es, weil er den »Beruf« falsch beurteilt, sei es, daß er seine Begabung, seine Kräfte falsch eingeschätzt, oder, daß er die Zukunftsmöglichkeiten nicht richtig erkannt hat? Es ist gar nicht auszudenken, welches Elend der Seele mit diesem Satz als unabänderlich festgelegt ist: Die ganze Tragik unerfüllter und unerfüllbarer Wünsche dieses Erdenlebens ist in diesem Satz, so wie er in jener Zeitschrift gemeint ist, beschlossen.

Es gibt eine Geschichte des Wortes Beruf; sie wurde von dem Berliner Theologen Holl in einem Sitzungsbericht der preußischen Akademie der Wissenschaften kurz dargestellt von den Anfängen bis zu Luther. Dort findet man, daß es anfänglich im Christentum nur eine Berufung gab und das war die Berufung des Christenmenschen durch das Evangelium. Dann war die Berufung etwas, was nur dem Mönch zuteil wurde, also eine Berufung persönlichster Art, die nur die besonders Auserwählten unter den Christen erlebten. Im Mittelalter »gerät das Berufsbewußtsein in Spannung mit demjenigen Selbstgefühl, das der fortgehende wirtschaftliche und politische Aufstieg bei den schaffenden Ständen hervorrief.« Noch aber haben diese Stände nur einen Dienst, keinen Beruf. Einen entscheidenden Schritt vorwärts hat die Mystik getan: Eckart übersetzt 1. Korinth. 7, 20: »Es sind nicht alle Leute in einen Weg zu Gott gerufen« und darum ist ihm auch der niederste Stand mit der Erlangung des Höchsten vereinbar. Deshalb soll man auch in seinem Stand bleiben und Tauler bezeichnet sogar das Amt als eine »Ladung«, einen »Ruf«, der an uns ergeht. Das Wort Beruf war aber eine Bezeichnung, die auch bei Luther noch anfänglich rein kirchlich-religiöses Gepräge hatte. Erst Luthers Lehre vom allgemeinen Priestertum brachte die große Wandlung: Die Erfüllung der von einem Stand auferlegten Pflichten ist Gehorsam auf einen Befehl Gottes. Und so sagt Luther: »Es ist Gott nicht um das Werk zu tun, sondern um den Gehorsam.«

Hier bricht die geschichtliche Betrachtung Holls ab. Hätte er sie weitergeführt, so hätte er von solchem Höhepunkt immer mehr, wenn auch in Wellenlinien herunterführen müssen bis zu so selbstsüchtigen Deutungen, wie die eingangs erwähnte. Immer mehr ist die sittliche Größe eines jenseitigen Ziels dem persönlichen Nutzen, der Erfüllung diesseitiger

Wünsche zum Opfer gefallen. Als einzigen Lichtpunkt sehe ich noch jenen Bildungsbegriff der klassischen Zeit und des Idealismus, der wenigstens ein jenseitiges Vollkommenheitsbild kennt, wenn ihm auch die religiöse Prägung mangelt. Zuletzt aber kommt die fast unverhüllte Diesseitigkeit zum Durchbruch, begründet mit »der berüchtigten Forderung des Lebens«.

Gewiß regt es sich unter der Kruste solcher Versachlichung und angenehmster Broterwerb gilt nicht mehr als die Summe sozialen Fortschritts. Man erkennt auch langsam, daß der Kampf etwa zwischen humanistischen und realistischen Bildungsanstalten ganz falsche Fronten zeigte, denn auf beiden Seiten war das Stoffliche mit drückender Schwere über das Sittlich-Geistige gelegt und das Berechtigungswesen machte sich auch in diesen Kämpfen mit seiner ganzen Unsittlichkeit breit. Ist aber der Bann wirklich schon gebrochen?

Verzichten wir auf eine umfassende Antwort und beschränken wir uns darauf, den Buchhandel als Beruf im Rahmen der Zeitlage zu betrachten. Es wird gar viel von den Kulturpflichten des Buchhändlers geredet und gar mancher ist tatsächlich Buchhändler geworden, weil er damit der Kultur näher zu sein glaubte, als beim Handel etwa mit Heringen. In Wirklichkeit aber verschrieb er sich im besten Fall einem tragischen Konflikt, im schlechteren wurde er zur Possenfigur.

Was ich mit dem tragischen Konflikt meine? Nun, ein tragischer Konflikt mehr oder minder ist jedem Beruf gegeben: Der Industriearbeiter leidet unter dem Fluch allein vom Marktwert der Ware Arbeitskraft abzuhängen, der Kapitalist unter dem, daß er meint, er besitze Kapital, obwohl das Kapital von ihm Besitz ergriffen hat; der Bauer stöhnt unter der Abhängigkeit vom Wetter, der König unter der Einsamkeit seiner Stellung und so fort und fort. Der Buchhändler aber ist mit dem Fluch beladen, mit *geistigen* Gütern *handeln* zu müssen und darum ist er entweder nie ganz ein wirklicher Kaufmann oder es verfolgt ihn der Haß der Geistigen, die behaupten, daß er Riemen aus ihrer Haut schneide. Es ist eine besondere Tragik: so eingekeilt zwischen erdenschwerer wirtschaftlicher Notwendigkeit und aufstrebender Geistigkeit zu leben.

Gewiß gibt es viele, die das nicht fühlen, aber verlieren Einsame wie Friedrich der Große an Tragik, weil es eine Menge Fürsten gab, die sich nur der Lichtseite ihres Daseins zuwandten? Sind nicht die wenigen Arbeiter, die nicht nur gedankenlose Gewerkschaftsmitglieder sind, maßgebender für das Elend ihres Standes, als jene Masse, die im Grund genommen das Streben nach oben der »Organisation« überlassen? Ist nicht *der* Dichter menschlich der wertvollere, der immer und immer wieder empfindet, daß sein Werk aus der Bloßstellung seines Innersten entsteht? Und wiederum so fort und fort durch alle Stände und Berufe.

Der Buchhändler aber, der die Schwere seines Amtes nicht nur geistig erkennt, sondern auch sittlich fühlt, hat erst das richtige »Gefühl«, wozu er berufen ist: Er ist berufen seine Pflicht zu tun, »gehorsam« zu sein. Es ist lächerlich, zu glauben, daß uns die Vorsehung beruft, mit einer möglichst angenehmen Beschäftigung das Brot zu erwerben. Es ist darum im Grunde ganz gleich, ob einer Buchhändler wird ganz aus freier Wahl oder als Sohn seines Vaters, wegen seiner Freude an Büchern oder weil gerade beim Buchhändler eine Lehrstelle frei war: Maßgebend für seine Wertung ist nichts als seine Einstellung zu seiner Berufspflicht. Das Gebiet sittlicher Wertung kennt keine Erklärungen und Entschuldigungen aus Lust- und Unlustgefühlen.

Will also der Buchhandel auf der Höhe des Sittengesetzes stehen, dann muß er alles Kulturgeschwätz zu Hause lassen und klar und deutlich Stellung zu seiner Berufung nehmen. Er muß wie der Held in der Tragödie über dem Schicksal bleiben, auch wenn er an diesem Schicksal zugrunde geht; sonst hat er seinen Beruf nicht richtig erfaßt.

Wie kann er ihn aber richtig erfassen? Es ist so leicht darauf zu antworten, wenn man eben jene beiden Spannungspole im Auge behält, die ich oben andeutete! Als Kaufmann muß der Buchhändler sachlich handeln, muß nüchtern rechnen, muß Angebot und Nachfrage in das richtige Verhältnis bringen, muß tun, was rechnerisch Nutzen bringt, und lassen, was zum Schaden seiner Wirtschaftskraft dient. Als Mensch aber muß er der Herkunft seiner Ware aus den Landen geistiger Sehnsucht Ehre erweisen.

Zu beidem muß einiges gesagt werden: Man könnte einwenden, daß die harten Notwendigkeiten des Geschäftslebens sich nie mit jenen Idealen vertragen können. Und in der Tat, es gibt Buchhändler, denen es ganz gleichgültig ist, was sie verkaufen, wenn sie nur verkaufen. Sie sehen von jeder Beziehung zum geistigen Inhalt der Bücher ab. Ja, ich wage die Behauptung, es ist bei weitem die Mehrzahl. Und doch ist das ganz falsch gedacht, gerade kaufmännisch falsch gedacht, weil eben dadurch das verloren geht, was der gute Kaufmann braucht, die Warenkenntnis. Nur so ist zu erklären, daß der Buchhandel der geistigen Produktion so ratlos gegenübersteht. Eine Unmenge Verleger und noch mehr Sortimenter quälen sich ab, zwischen 30000 und 40000 literarische Geistesfrüchte marktfähig zu machen. Ich glaube, daß der Teil solcher Ernte, der letzten Endes in die Stampfmühle wandert, erschreckend groß ist. Arbeit und Kapital sind daran verloren. Das merken aber nur wenige Außenstehende, weil ganz im geheimen jener Weg zur Stampfmühle zurückgelegt werden kann. Die beteiligten Buchhändler aber könnten das oft bei richtiger Markt- und Warenkenntnis vermeiden: Der Verleger ließe manches ungedruckt, der Sortimenter nähme vieles nicht auf Lager. Heute meinen aber die meisten, der Wille, bei einem kaufmännischen Vermittlungsgeschäft Nutzen herauszuschlagen, mache zum Kaufmann. Ich stelle den Satz dagegen, daß kaufmännischer Erfolg, der ohne Warenkenntnis erzielt wird, kein »Verdienst« ist, sondern ein Glückszufall. Mit Beruf hat das wenigstens gar nichts, aber auch gar nichts zu tun.

Anderseits wird man mir entgegenhalten, daß viele trostlos schlechte Bücher in Massen verkauft würden, der Buchhändler, Verleger wie Sortimenter, kenne also den Markt! Darauf ist zu erwidern, daß – ich werde das noch genauer darlegen – selbstverständlich die große Menge der Bücherkäufer in ihren primitiven Bedürfnissen leicht erkennbar ist. Vom Standpunkt des Berufes aber kommt es auch da auf die wertvolle Oberschicht an. Wenn diese eben in ihren Bedürfnissen nicht richtig erkannt wird, so fehlt jede Möglichkeit, ein Werturteil über die kaufmännische Leistung abzugeben, denn zur Befriedigung niederer Instinkte gehört kein Können, sondern nur Mangel an Gewissen.

Hier muß aber gesagt werden, daß es auch verfehlt ist, den Buchhandel für die Durchschlagskraft minderwertigen Geschreibsels verantwortlich zu machen. Er steht zwischen Schreibern, die solches Zeug verbrechen, und Lesern, die es nicht nur kaufen, sondern zu kaufen verlangen. Jedes Volk hat nicht nur die Regierung, sondern auch den Buchhandel, den es verdient. Trösten kann hier nur die Äußerung, die Jakob Burckhardt in seinen weltgeschichtlichen Betrachtungen machte: »Eine einzelne Zeile in einem vielleicht sonst wertlosen Autor kann dazu bestimmt sein, daß uns ein Licht aufgeht, welches für unsere ganze Entwicklung bestimmend ist.« Wenn sich aber einer »berufen fühlt«, durch den Verkauf von literarischen Schmarren sein Brot zu verdienen, so kommt der Ruf aus diesseitigen Gefilden und hat nichts zu tun mit jenem Beruf, der aus dem Jenseits kommt.

Das aber ist das Elend unserer Zeit, daß man eben die Jenseitigkeit von Luthers Berufsbegriff wie vom idealistischen Bildungsbegriff verloren hat. »Das Neueste in der Welt«, sagt wieder Burckhardt, »ist das Verlangen nach Bildung als Menschenrecht, welches ein verhülltes Begehren nach Wohlleben ist.« Besser kann gar nicht gekennzeichnet werden, wohin wir abgerutscht sind: Jeder fühlt sich »berufen«, so angenehm wie möglich zu leben, und auch im Buchhandel ist dieser Grundsatz Trumpf. Wir werden vom Schicksal solange auf die Finger geklopft werden, bis wir die Abwegigkeit solcher Gesinnung nicht nur erkannt haben, sondern auch die Nutzanwendung aus solcher Erkenntnis gezogen haben: »Nicht auf das Werk kommt es an, sondern auf den Gehorsam.«

Das hat nichts mit frömmelnder Gesinnung oder mit Spenglers Periode der zweiten Religiosität zu tun. Im Gegenteil, es ist nur das Erwachen aus dem Rausche sinnlicher Diesseitigkeit zur Nüchternheit des Geistes. Gerade aber, weil der Buchhandel zwischen geistigem Höhenflug und niederziehender

Erdenschwere eingespannt ist, könnte er »berufen« sein, die Wende zu bringen: Er könnte am ehesten frei sein von der Überheblichkeit jener Geistigen, die, weil sie literarisch, wissenschaftlich oder künstlerisch arbeiten, nicht fühlen, wie sehr sie nur Ausdruck ihrer Zeit sind; er könnte aber auch die Kurzsichtigkeit des Wertens nur nach dem wirtschaftlichen Nutzen als das kennzeichnen, was sie ist: als den absolutistischen Regierungsfehler des Fürsten dieser Welt.

Vom buchhändlerischen Markt oder über Grenzen der Wirksamkeit des Buches

Zwei geistige Eigenschaften sind es, die den tüchtigen Kaufmann auszeichnen: einmal die ausgebildete Begabung, die Beschaffenheit seiner Ware zu beurteilen, zum andern aber die Urteilskraft, die den Markt für seine Ware richtig einschätzt. Von der ersten Fähigkeit hängt die Warenkenntnis ab, die es an sich nur mit der inneren und äußeren Eigenschaft der Ware zu tun hat. Aus der zweiten Fähigkeit aber entsteht die Marktkenntnis, die, für sich betrachtet, nur die absetzbare Masse bestimmt. Auf den Buchhandel angewandt, richtet sich also die Warenkenntnis zunächst nur auf die Fragen: Ist der Inhalt des Buches gut? ist es gut geschrieben? wie ist das Papier? der Druck? der Einband? Die Marktkenntnis aber kann die Fragen beantworten: Wie viele Käufer kommen in Frage? wie verhält sich zu dieser Menge die zur Verfügung stehende Auflage? Nun ist es aber klar, daß Waren- und Marktkenntnis meist in stärkster innerer Wechselwirkung stehen. Edelste Ware ist nicht in Masse herstellbar, und Massenware muß auf das Hauptkennzeichen der Edelware verzichten: auf die Einzigartigkeit des Einzelstücks. Ein wirklicher Massenartikel kann nicht aus edelstem und darum seltenem Stoff hergestellt werden. Darum druckt man z. B. ein Rechenbuch für Volksschulen nicht auf feinstes Hadernpapier und bindet es nicht in Schweinsleder; Luxusdrucke aber werden beziffert, um damit ihrer Seltenheit Ausdruck zu geben.

Nun ist es leicht, für ein solches Rechenbuch die mögliche Absatzziffer zu bestimmen, weil man die Zahl der dafür in Betracht kommenden Schüler feststellen kann, und auch bei manchem wissenschaftlichen Buch kann man fast auszählen, wie viele Büchereien, wie viele Institute und wie viele private Abnehmer dafür in Frage kommen. Bei der großen Menge des allgemeinen Schrifttums ist aber solch leichte Bestimmungsmöglichkeit nicht gegeben und die Festsetzung der Auflagenhöhe darum ein Glücksspiel. Und doch läßt sich der Zufall in mancher Hinsicht einschränken, wenn man die Frage ernstlich prüft: Wer kann alles für das Buch in Frage kommen? Wo sind die Grenzen der Wirksamkeit eines Buches? Jeder Verleger legt sich diese Frage bei der Bestimmung der Auflage, jeder Ladenbuchhändler sich die gleiche beim Einkauf vor. Er beantwortet sie aber nur gefühlsmäßig. Und doch muß es trotz der Unendlichkeit aller Möglichkeiten wenigstens einige Gesetze geben, die den Zufall zwar nicht einschränken, seine Möglichkeiten aber gesetzmäßig bestimmen.

Zunächst ist die Frage aufzuwerfen, ob es räumliche Grenzen für die Wirksamkeit des Buches gibt. So häufig es vorkommen mag, daß die in Frage kommenden Leser eines Buches räumlich geschlossen zusammenwohnen, so ist doch damit keine räumliche Grenze für die Wirksamkeit eines Buches gegeben, einfach deshalb, weil der Geist keine räumliche Grenzen kennt. Ein Buch, das z. B. in dem besonderen Dialekt einer Gegend, ja eines Dorfes geschrieben ist, wirkt schon über dessen Raum hinaus, wenn ein Forscher von außerhalb sich mit jenem Dorf oder der Gegend, in der es liegt, beschäftigt, ganz abgesehen davon, daß ja die Bewohner des Dorfes nicht festgebunden sind und den Raum ihrer engeren Heimat nicht nur verlassen können, sondern wohl auch häufig verlassen. Warum sollte nicht ein Siedler im brasilianischen Urwald mit Freuden ein Buch seiner engeren Heimat lesen, auch wenn wenige Kilometer von dieser Heimat entfernt die Mehrzahl der Menschen den Inhalt des Buches aus sprachlichen oder sonstigen Gründen nicht mehr verstehen oder wenigstens nicht mehr würdigen können. Man kann also ruhig sagen: Räumliche Grenzen gibt es für die Wirksamkeit des Buches nicht.

Es läge nun nahe, auch die zeitlichen Grenzen für die Wirksamkeit des Buches zu leugnen, weil wir jahrtausendalte schriftliche Überlieferungen besitzen und lesen können. Und in gewissem Sinne gibt es für das Buch eine zeitlich unbegrenzte Wirkung; d. h. solange es Menschen gibt, die den Willen haben, schriftliche Überlieferung zu lesen, kann ein Buch wirken. Die so gezogene Grenze erscheint uns wenigstens ebenso belanglos wie die Tatsache, daß die Wirksamkeit des Buches räumlich auf diese Erde beschränkt bleibt.

Wer tiefer eindringt, der fühlt aber doch noch eine andere zeitliche Grenze. Er fühlt, daß alte Überlieferungen zwar in gewissem Sinne weiterwirken, daß aber ein Teil abstirbt, ich glaube, sogar ein wesentlicher. Ich bin z. B. der festen Überzeugung, daß wir der Weltanschauung etwa der Zeit, in der das Nibelungenlied geschrieben ist, so fremd gegenüberstehen, daß wir zwar die große künstlerische Form, gewisse allgemein menschliche Züge der Helden u. a. einigermaßen erfassen können, das Lied selbst aber als Persönlichkeitsäußerung ist für uns wie eine zersprungene Glocke: Wir sehen die schöne Form, wir erkennen das gute Metall der Legierung, sie siegt aber nicht mehr. Da hilft keine Nacherzählung, da hilft kein Film, auch wenn er künstlerisch höher stünde als unser jetziger Nibelungenfilm mit seinen Pappdeckelwäldern, dem auslaufenden Drachenauge und der blutenden Siegfriedwunde. Wir müssen uns damit abfinden, daß der Buchstabe das Bild eines gestorbenen Lautes, der geschriebene Satz das Bild eines Gedankens ist, das nur solange lebendig wirkt, als die Menschen fähig sind, ebenso zu denken. Es mag Gedanken geben, die aller Menschheit begreiflich sind, solange es eine Menschheit gibt – ich bin sogar vom Bestehen solcher ewiger

Wahrheiten überzeugt –, das ändert aber nichts an der Tatsache, daß ein Buch, das aus einer Menge Gedanken besteht, eben doch in gewissem Sinne mit seiner Zeit stirbt. Mit Spengler glaube ich, daß wir z. B. die Antike niemals wirklich verstehen können, womit nicht gesagt ist, daß der Einfluß *unserer Auffassung* einer vergangenen Menschheitsepoche nicht von größter Bedeutung sein kann.

Damit ist gezeigt, wo die eigentlichen Grenzen der Wirksamkeit des Buches zu suchen sind: auf rein geistigem Gebiet. Ich deutete schon oben an, daß die Sprache eine dieser Grenzen ist: Ein Buch in französischer Sprache ist einem Deutschen, der nicht Französisch gelernt hat, unverständlich. Ich behaupte noch mehr: Wer nicht ganz in französischem Wesen aufgewachsen und erzogen ist, dem bleibt vieles letzten Endes auch unverständlich, wenn er Französisch gelernt hat. Eine restlose Übersetzung einer Dichtung in eine andere Sprache ist unmöglich, es bleibt immer ein mehr oder minder wesentlicher Teil unübersetzbar.

Es leuchtet auch ein, daß ein Buch über die Relativitätstheorie nur dem physikalisch und philosophisch Gebildeten verständlich ist. Bei vielen Büchern liegen also gewisse Grenzen ihrer Wirksamkeit offen zutage, und doch fehlt auch hier Wesentliches: Es sind nur die Kenntnisse gegeben, die Vorbedingung für das Verständnis des Buches sind, nichts ist aber über die Fähigkeit ausgesagt, die zur Aufnahme des Inhalts unbedingt notwendig sind. Nun wird man zwar einwenden, daß auch die Kenntnisse gewisse Fähigkeiten beweisen; beschäftigt man sich aber mit der Begabung der Leserwelt überhaupt, so erkennt man, wie nahe das Nichtverstehen auch bei den »Gebildeten« liegt. Wir wundern uns oft, wie es möglich ist, daß oft eine wichtige Erkenntnis nur langsam und mit größten Schwierigkeiten weitere Kreise erfaßt. Stellt man aber eine Untersuchung über die Verteilung der Begabung in der menschlichen Gesellschaft an, so erklärt sich diese Tatsache leicht.

Schon um die Mitte des vorigen Jahrhunderts hat sich ein Engländer mit der Begabung des Volkes befaßt, Francis Galton (Hereditary Genius, London 1869). Von einem Deutschen, Otto Ammon, wurde auf diese Untersuchungen aufgebaut und freilich mit gar manchem Trugschluß und unter der Einwirkung eines einseitigen Darwinismus Wertvolles zur Begabungsschichtung einer Bevölkerungsmasse klargestellt. Ich folge dem deutschen Buch (Die Gesellschaftsordnung und ihre natürlichen Grundlagen, 1. Auflage, Jena 1895), um das Wesentliche herauszuarbeiten.

Jedes Lebewesen vererbt auf seine Nachkommen eine Summe von Einzeleigenschaften. Die Gesetzmäßigkeit dieser Vererbung steht nach dem Mendelschen Gesetz heute wissenschaftlich fest. Die mögliche Mischung der

Eigenschaften ist aber bei der Riesenzahl von Einzelwesen, die sich zur Zeugung von Nachkommen zusammenfinden können, eine sehr große. Auf dieser Tatsache aufbauend, läßt sich eine Rechnung aufmachen, deren Grundlagen sich am besten am Würfelspiel verdeutlichen lassen.

Man denke sich z. B. die Begabung einer Bevölkerung im wesentlichen auf 4 Grundlagen aufgebaut, deren jede in 6 verschiedenen Graden in Frage kommt, so kann man jeder sozusagen einen Würfel zuteilen, jedem Grad eine Seite dieses Würfels. Nun ergibt sich, daß der günstigste Wurf mit 4 mal 6 Augen und der ungünstigste mit 1 mal 1 Auge nur je in einer Zusammenstellung möglich ist, die Würfe aber mit der Quersumme 2 und 5 sind schon mit je 4, die mit Quersumme 22 und 6 schon mit je 10 verschiedenen Zusammenstellungen möglich. Die größte Zahl von Mischungen liegt in diesem Fall bei der Quersumme 14, die 146 verschiedene Möglichkeiten der Mischung gibt. Stellt man dieses mathematische Ergebnis der verschiedenen Mischungsmöglichkeiten zeichnerisch dar, so erhält man die gestrichelte Kurve der Abb. 1:

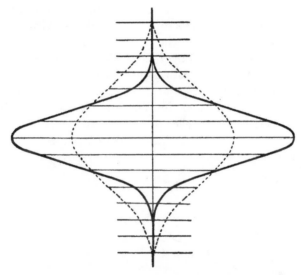

Nun ist die Vierteilung der Begabung natürlich durchaus willkürlich, denn jede dieser Gruppen läßt sich wieder in eine Unzahl Einzelbegabungen auflösen. Fragt man nun, wie die Verhältnisse bei der Annahme von mehr Begabungsgruppen liegen, so ergibt sich, daß die Zahl der Mittelmäßigkeit zu, die der Spitzenbegabungen, sowohl im guten wie im schlechten Sinne, abnimmt; bei Begabungsgruppen gibt es eben die günstigste Quersumme von 48 und die ungünstigste von 8 nur einmal unter im ganzen 1679616 Möglichkeiten der Begabungsmischung, während im obigen Beispiel die Quersumme 24 und 4 einmal unter 1296 möglich war.

Gleiche Einwirkung auf die Kurve ergibt sich, wenn man statt 6 Graden der Begabung deren mehr annimmt. Nimmt man z. B. wie Galton in seiner Untersuchung über die Begabung von 1 Million Menschen 16 Grade an, so erhält man die ausgezogene Kurve der Abb. 1.

Die Zahl der Einzelbegabungen ist zwar ebenso wie deren möglicher Stärkegrad in keiner Weise festlegbar, immerhin kann man Galtons Einteilung der Begabung als grundlegendes Bild gebrauchen, man muß sich nur klar darüber sein, daß eben wegen der Vielzahl der möglichen Einzelbegabungen und ihrer Grade in Wirklichkeit der Aufstieg der Spitze zum »Talent und Genie« noch viel geringer ist, wie natürlich auch die nach unten gerichtete Spitze der Minderbegabung weniger abfällt. Die Masse einer Bevölkerung ist also unbedingt der Mittelmäßigkeit überantwortet. Aus ihr ragen Talent und Genie in jähem Aufstieg hervor, so daß die Absatzmöglichkeit von Büchern, die an der Grenze von Mittelmäßigkeit und des Talentes liegen, was die von ihnen geforderten Ansprüche von Aufnahmefähigkeit anlangt, in einem Fall noch verblüffend groß, im anderen, wo es sich nur um eine verhältnismäßig geringe Steigerung der Schwierigkeit handelt, schon außerordentlich gering sein kann. Obwohl also die Mittelmäßigkeit vorherrscht, besteht ein großer Trost! Er liegt in der Tatsache, daß der unter das Mittelmaß der Begabung fallende Mensch sehr wohl in einer Richtung Höchstbegabung besitzen kann, die nur durch Minderbegabung in anderer Richtung ausgeglichen wird. Und in der Tat können wir bei ganz Großen des Geistes oder der Seele ausgeprägte menschliche Schwächen feststellen, ja, wir tun dies gerne, weil gerade diese Schwächen uns über den Abstand, der uns im entscheidenden Punkt von ihnen trennt, hinwegtröstet.

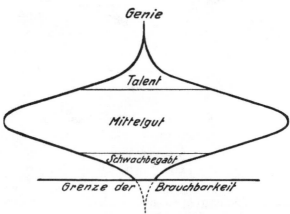

Es ist also mit dem Bild der allgemeinen Verteilung der Begabung nur ein ganz roher Anhaltspunkt gegeben dafür, wo die Grenzen der Wirksamkeit eines Buches liegen. Immerhin leuchtet das wohl jedem ein, daß eben gerade das belanglose Schrifttum den breitesten Boden für Absatz hat. Es hat keinen Sinn, darüber zu jammern, daß etwa die Tarzan-Bücher einen Absatzerfolg erzielen, der im schreienden Mißverhältnis zum Absatz der Bücher steht, die menschlich wirklich wertvoll sind, von den Klassikern gar nicht zu reden.

Man wende nicht ein, daß die Klassiker und auch die Bibel doch in unzähligen Ausgaben weit verbreitet seien. Wer nüchtern denkt, der weiß, daß mit der Verbreitung eines Buches noch lange nicht bewiesen ist, daß dieses Buch auch in dem Umfange gelesen wird, der seiner Verbreitung entspricht. In all diesen Fällen handelt es sich um Einflüsse der Mode oder gesellschaftlichen Forderung, die ein Auseinanderfallen von Markt und Wirkungsmöglichkeit der Bücher herbeiführen. Die Wirkung der Mode ist fast immer zufällig und nicht vorherbestimmbar, während uns das Beispiel der Klassiker die Beruhigung verleiht, daß das wirklich Wertvolle schließlich Allgemeingeltung erhält. Ich erinnere an die vielen Bücherschränke mit Klassikern in der guten Stube, die nur dastehen, weil es für »ungebildet« gilt, sie nicht zu besitzen. Die Zahl derjenigen, die das zur Mode gewordene Buch Spenglers, »Untergang des Abendlandes«, wirklich gelesen haben, schätze ich im Vergleich zur Zahl der verbreiteten Stücke dieses Werkes ganz gering ein. Die meisten können über dieses Buch nur deshalb reden, weil sie da und dort einige Äußerungen über seinen Inhalt aufgeschnappt haben. Es hat aber keinen Zweck, sich über diese Verlogenheit zu wundern; denn für das Mittelmaß sind die höchsten Werke unserer Klassiker ebensowenig faßbar, wie es Spenglers schwere Kost ist. Man kann auch nur schwer gegen diese Verlogenheit ankämpfen; denn abgesehen davon, daß die Menge solch blinder Schatzbesitzer geistig schwer erreichbar ist – sie liest ja nur, was sie erfreut, und Vorwürfe erfreuen nicht –, ist es doch auch eine gute Begleiterscheinung der häßlichen Tatsache, daß dem hinreichend Begabten eine Unmenge Gelegenheit geschaffen wird, in die Welt des hochwertigen Schrifttums einzudringen. Und in der Tat! Wie häufig lesen Raffkes Kinder, was Raffke nur gekauft hat!

Damit sind wir an einem entscheidenden Punkt: Die Gesamtbegabung eines Menschen kommt nämlich nie zur vollen Entwicklung! Das sei gerade am Beispiel Raffkes verdeutlicht: Würde nämlich Raffke seine Begabung, die er nur seinem wirtschaftlichen Aufstieg widmete, auch zur Erfassung wertvollen Schrifttums verwandt haben, so wäre er eben nicht vorwiegend wirtschaftlich vorwärtsgekommen. Zum wirtschaftlichen Aufstieg gehört nicht nur Gewinnsucht, sondern auch lebendige Auffassungsgabe, Entschlußkraft und sonst noch manche Eigenschaft, die ebensogut anderen Gebieten zugewandt werden kann. Unerfreulich an der echten Raffkegestalt ist ja meistens eben jene Gewinnsucht als Haupttriebkraft des Willens und der Mangel an sittlicher Bremskraft beim Einsatz der geistigen Begabung. Daraus erklärt sich ohne weiteres die Tatsache, daß Raffkes Kinder erfreulichere Gestalten sein können und auch oft sind: Sie sind zu satt für eine so starke Entwicklung der Gewinnsucht, und ihre Entwicklung in anderen Lebensumständen ist auch mehr vor der Überwucherung der Giftpflanze Gewissenlosigkeit geschützt. Die Verschiebung in der Verwendungsmöglichkeit der Begabung ist in diesem Fall auch entscheidend für die Aufnahmefähigkeit für wertvolles Schrifttum.

Gerade darum muß hier eine große Gedankenlosigkeit in dem Ammonschen Buche als solche gebrandmarkt werden: Ammon wies nämlich, auf der Einkommensverteilung im Königreich Sachsen fußend, darauf hin, daß die Bevölkerungspyramide nach dem Einkommen der der Begabung sehr ähnlich sei, und er sah darin einen Beweis dafür, wie herrlich alles bestellt sei. Das ist natürlich barer Unsinn; denn an der Spitze jener Einkommenspyramide kann ein, abgesehen von seinen wirtschaftlichen Fähigkeiten, ganz minderwertiger Kerl stehen, während manches Talent, ja Genie nicht das zum Leben nötigste Einkommen hat. Ja noch mehr: Wer seine ganze Willenskraft, seine geistige Begabung, seine Zeit ganz der Wirtschaft widmet, wird eben nur dort seinen Erfolg haben, und die Begrenzung seiner sonstigen Begabung ist belanglos, wenn man nach seinem *wirtschaftlichen* Erfolg fragt. Der gleiche Mann kann körperlich und seelisch ein Krüppel, auf gewissen geistigen Gebieten ein Trottel sein. Auch muß man sich darüber klar sein, daß alle Massenuntersuchungen, also auch eine über die Möglichkeiten der Einkommensverteilung einer Bevölkerung einen ähnlichen Kurvenverlauf wie den der Galtonschen Begabungskurve ergeben müssen. Entsprechen also die Tatsachen der Kurve der Möglichkeiten, so ist das nicht weiter verwunderlich, im vorliegenden Fall aber auch keineswegs sozial befriedigend.

Für die hier einschlägige Frage nach den Grenzen der Wirksamkeit des Buches ergibt sich aus dem Gesagten klar, daß wirtschaftliche Leistungsfähigkeit und Aufnahmefähigkeit für hochwertiges Schrifttum nicht nur nicht zusammenfallen, sondern sich oft geradezu ausschließen. Diese Kluft zu überbrücken ist edelste soziale Aufgabe nicht zum wenigsten des Buchhandels, der hier durch billiges Angebot ausgleichend wirken kann.

Ich zeigte oben, wie die Masse der Bevölkerung hinsichtlich der Begabung dem Mittelmaß angehört. Gerade darum aber ist es ein Verbrechen, wenn unnötige Schwierigkeiten zu den schon bestehenden gehäuft werden. Das geschieht leider häufig, indem die Schwierigkeiten, die der Inhalt des Buches an sich bietet, noch um die weitere vermehrt wird, daß die Darstellung in einer Sprache gegeben wird, die jede lebendige Vorstellung ertötet. Am schlimmsten steht es in dieser Hinsicht mit der Gelehrtensprache, die oft in ein für breitere Kreise vollkommen unverständliches Kauderwelsch verfällt. Dadurch wird die Wissenschaft vom Volke abgesondert, sie wird zur Geheimwissenschaft. Die Folgen können nicht schlimmer in Erscheinung treten, als sie bei uns in Erscheinung getreten sind: Man vergegenwärtige sich nur einmal das geistige Verhältnis der sozialistischen Wähler zum Inhalt der sozialistischen Lehre! Die Masse dieser Wählerschaft ist mit der Lehre nur durch die Hoffnung verknüpft, daß sie diese Lehre aus ihren Nöten herausführen könne. Der eigentliche Inhalt aber ist für sie hinter ihrem Sprachschatz fremder Schlagworte verborgen.

Es erscheint mir immer unbegreiflicher, daß gerade von Gelehrten, die Großes von ihrem sozialen Gewissen halten, nicht eingesehen wird, daß die Lebendigkeit der Wissenschaftssprache nicht weniger soziale Pflicht ist wie die des Besitzenden, sein Kapital flüssig zu machen. Es ist die Abschließung von der breiten Masse auf Grund des Besitzes von Geld- und Sachgütern nicht verwerflicher als die auf Grund von geistigen Kenntnissen. Man entgegne nicht, daß die Wissenschaft der starken Verwendung von Fremdworten nicht entraten könne, ohne zu verflachen. Es gab und gibt bedeutende Gelehrte, die ihre Werke in lebendiger Sprache verfaßten.

So komme ich zu meinem ketzerischen Schluß: Die Absatzmöglichkeit eines Buches ist nahezu unbeschränkt, wenn es in lebendiger Sprache geschrieben ist. Die wenigsten Schriftsteller und Gelehrten haben hinsichtlich ihrer Fähigkeiten einen so weiten Abstand vom Durchschnitt der Bevölkerung, daß sie die Einsamkeit des Genies für sich als Entschuldigung in Anspruch nehmen können, wenn sie nur von einem kleinen Kreis verstanden werden. Es gibt Schlemmerlokale, die nur Frack, Smoking und Lackschuhe dulden. Möge es auf geistigem Gebiet bei uns keine solchen Schlemmerlokale geben, in denen nur der geduldet wird, der seinen Geist in volksfremde Sprache kleidet!

Über die Zukunft des Buches

Es ist eine gefährliche Sache, sich über die Zukunft des Buches zu äußern; denn mit solchen Äußerungen haben schon eine große Menge Menschen ihre Unfähigkeit bewiesen, die Zukunft vorherzusagen: Als das moderne Zeitungswesen immer mehr anschwoll, hieß es, das sei der Tod des Buches; kurz vor dem Krieg konnte man im Börsenblatt für den deutschen Buchhandel lange Auseinandersetzungen lesen über die Frage, ob das Kino dem Buchabsatz schade oder nütze, und durch diese Auseinandersetzungen klang als Unterton die Angst, daß dem Buch schwere Gefahr drohe. Trotz Zeitung und trotz Kino wuchs aber die deutsche Bucherzeugung jährlich zu immer größerem Umfang an. Dann kam der Krieg, und rasch war man mit der Bemerkung zur Hand, nun sei es mit dem Buchabsatz zu Ende. Und wie wurde es? Der Stellungskrieg schuf eine Menge neuer Leser, und gegen Ende des Kriegs waren die Verlagslager gar mancher Verleger nahezu leer. Nun gibt es Leute, die mit ängstlicher Miene der Befürchtung Ausdruck gaben, daß das Radiofieber dem Buch den Todesstoß versetzen werde. Schon aber kann man hören von Riesenauflagen der Radiobücher, von unerwartet großem Absatz von Operntexten der für Fernübertragung aufgeführten Opern.

Aber schon das letzte Beispiel kann uns zeigen, daß es wohl überhaupt falsch ist, von der Zukunft *des* Buches zu sprechen. Rein äußerlich ist ja gewiß der Begriff Buch etwas Feststehendes: Man denkt an gefalzte und zusammengebundene Papierbogen, auf denen mit einer Maschine Buchstaben in Druckerschwärze aufgedruckt sind, deren Reihenfolge einen mehr oder minder erträglichen Sinn gibt. Es ist aber doch wohl eine müßige Frage, ob das Buch unabhängig von seinem Sinn Zukunft hat.

Schneidet man aber die Frage nach der Zukunft des Buches unter Berücksichtigung des Buchinhaltes an, so zerfällt die Frage in Tausende von Einzelfragen. Das würde allen Leuten sofort einleuchten, wenn eben jene Naturgeschichte des Buches geschrieben wäre, die geistesgeschichtlich aufzeigen müßte, welche Stellung das Buch jeweils in den verschiedenen Zweigen des Geisteslebens eingenommen hat. Es würde nicht genügen, wenn diese Naturgeschichte des Buches nur den Zusammenhang großer geistiger Bewegungen, etwa der des Humanismus oder der Aufklärung, mit den im Buch liegenden Möglichkeiten aufzeigen würde. In mühevoller Kleinarbeit müßte die Bedeutung des Schrifttums an sich für alle Zeiten und Völker, die des gedruckten Buches als Massenerzeugnis im besonderen untersucht werden.

Wie auch die Ergebnisse solcher Arbeit sein werden, eines zeigt sich schon bei flüchtigem Überblick: Nicht nur die Zeiten wandeln sich, sondern auch der Begriff »Buch«, selbstverständlich nach seinem Inhalt genommen. Man vergegenwärtige sich nur einmal, welche Wandlung z. B. die Zeit der Reformation uns Deutschen für den Buchbegriff brachte: Die Bibelübersetzungen, die Luthers voran, ermöglichten dem Volke, die schriftliche Überlieferung der Heilslehre selbst zu lesen, der Heilslehre, die im Mittelalter trotz mittelbarer Überlieferung das Volk mächtig ergriffen hatte. Mit einem Schlage fast bekam damit das Wort Buch einen anderen Sinn.

Und heute, in einer Zeit, die nach der klassischen Literaturepoche liegt, ist wieder die Bedeutung eine andere für die Allgemeinheit als etwa vor 200 Jahren: Wir stellen an das »unterhaltende« Buch andere Anforderungen, als sie damals überhaupt gestellt werden konnten.

Und weiter: Welche Wandlungen hat das wissenschaftliche Buch durchgemacht! Der Werkzeugcharakter, den ihm das naturwissenschaftlich-technische Zeitalter immer mehr gab, wird wohl nicht mehr ganz verschwinden, so sehr sich von allen Seiten die Versuche mehren, auch der Wissenschaft wieder Werke zu schenken, die mehr eine Zusammenschau, eine Eingliederung in ein allgemeines Weltbild ermöglichen. Die Zeiten, in denen ein Mensch das Wissen seiner Zeit etwa so in sich vereinigen konnte wie noch Alexander von Humboldt, ist für uns vorbei, und darum muß auch unser Verfahren, zu einem Weltbild zu kommen, ein anderes sein. Das wird besonders deutlich am Werk Spenglers, der den Gedanken, den der Titel seines Werkes ausspricht, kühn voranstellt, um ihm dann seine wissenschaftlichen Stützen zu geben. Gewiß mag er dem Verfasser vom »Untergang des Abendlandes« zuerst aufgeblitzt sein, als er auf einem Gebiet, etwa der Geschichte der Mathematik, von unten anfangend eine Entwicklungslinie suchte, aber alle seine anderen Untersuchungen standen dann unter der Gewalt der zunächst einseitig gewonnenen Erkenntnis. So berechtigt vor wenigen Jahrzehnten die Ablehnung der Arbeitsweise Spenglers als unwissenschaftlich gewesen wäre, so notwendig ist heute gerade als wissenschaftliche Forderung eine solche Einseitigkeit, um den toten Punkt zu überwinden, den uns das zunehmende Fachgelehrtentum mit seinem Zug zur Vereinzelung gebracht hat.

Dies Wenige mag zeigen, daß jede Zeit nicht nur dem Buch allgemein, sondern auch seinen verschiedenen Gattungen eine bestimmte Geistesrichtung zur Pflicht macht. Ist man sich über diese Tatsache im klaren, so ergibt sich notwendig eine andere Einstellung zu der Frage über die Zukunft des Buches. Ganz von selbst bleibt man dann nicht mehr so an der Oberfläche hängen wie die Vorkriegsbetrachtungen über das Kino, die ich erwähnte. Man sucht vielmehr die Regungen des Zeitgeistes zu erfassen, die insofern für »das Buch« von entscheidender Bedeutung sind, als sie nicht nur geeignet sind, in das Schrifttum einzudringen, um dessen Inhalt zu ändern, sondern auch die Wirkung haben, zum Schrifttum hin oder von ihm wegzuführen.

Solcher Einstellung fällt es nicht schwer zu zeigen, warum die gewaltige Entwicklung der Tagespresse einen Rückgang der Bucherzeugung nicht gebracht hat: Diese Entwicklung brachte eine ganz neue Technik des Lesens, die im stärksten Gegensatz zu der früherer Zeiten steht. Nicht mehr die beschauliche Erfassung der künstlerischen Einheit von Stoff und Form steht im Vordergrund, sondern die möglichst rasche Erfassung dessen, was der Leser wissen will. Der Leser sucht nur das ihm Wesentliche zu erfassen, und wie die Zeitung »überflogen« wird, so auch das Buch. Das aber ergibt, daß in wesentlich kürzerer Zeit größere Mengen »gelesen« werden können. Ich leugne nicht, daß es auch heute noch Leute geben mag, die noch im alten Sinne lesen, die Masse der Bücherkäufer aber arbeitet nach jener neuzeitlichen Lesetechnik, in der Wissenschaft nicht weniger als in der schönen Literatur. Immer mehr prägt sich dies auch auf dem Büchermarkt selbst aus, denn ganz andere Mengen können verschlungen werden, und natürlicherweise folgte der so entstandenen gesteigerten Nachfrage ein größeres Angebot.

Es hat keinen Zweck, hierüber zu jammern; denn der auflösenden Wirkung, die solche Entwicklung haben muß, stehen auch Vorteile gegenüber, vor allem der, daß eine viel größere Zahl von Schriftstellern zu Worte kommt. Das ist deshalb von Bedeutung, weil wir nicht gut verlangen können, daß unser Schrifttum etwa ständig auf der Höhe der klassischen Zeit bleibe. Nicht jede Zeit kann Größen wie Goethe und Schiller, Kant und Fichte haben.

Eine Folge aber der neuen Lesetechnik ist der immer lauter ertönende Ruf nach der Abbildung, die ein viel rascheres Ergreifen des Inhalts möglich macht, als es die zu Worten und Sätzen geordneten Buchstaben vermögen. Heute ist kein geographisches Lehrbuch ohne reichliche Beigabe von Bildern und Skizzen mehr möglich, und das medizinische Lehrbuch wird fast in erster Linie nach der Güte der gebotenen Abbildungen eingeschätzt. Die Riesenauflagen von bebilderten Zeitschriften, ja solchen, in denen das Bild fast allein erzählt, beweisen, daß die große Masse der Leser zum Bilderbuch übergegangen ist.

Das Kino ist eine Erscheinung, die ganz in diesen Rahmen paßt: Der rein sachliche Inhalt eines Romans kann ja viel rascher im Kino erfaßt werden als durch das Lesen eines Buches, und es ist lächerlich zu glauben, daß der eifrige Kinobesucher als Romanleser je zu einer Erfassung Kellerscher Kunst in dem Sinne kommen kann, wie die Leser der Kellerschen Zeit sie als selbstverständlich ansahen. Damit ist nicht ausgeschlossen, daß er auf ganz anderem Weg zu einem Genuß der Kunst Gottfried Kellers kommen kann; in diesem Fall ist aber eben dann der sachliche Inhalt ganz zurücktretend, das Künstlerische und Reinmenschliche wird »ohne Spannung« genossen, rein beschaulich, die Spannung des modernen Bilderromans ist schon wegen der Raschheit, in der sie erzeugt und gelöst wird, so etwas ganz anderes als die des alten Romans, daß Vergleiche nicht mehr gezogen werden können.

So kommt es, daß große Teile unseres Schrifttums nur aus »geschichtlicher« Einstellung auf einen anderen, vergangenen Zeitgeist genossen werden. Man wird einwenden, daß doch viele Bücher des schöngeistigen Schrifttums unserer Zeit in keiner Weise dem Kinogeschmack entsprechen und doch weite Verbreitung finden. Dem ist entgegenzuhalten, daß zweifellos eine große Menge Gebildeter dem Kino wenn nicht feindlich, so doch ablehnend auch heute noch gegenübersteht, d. h. nicht in dem Maße von der Sucht zu sehen statt zu lesen ergriffen sind, daß sie nicht auch noch den guten »literarischen« Roman genießen könnten. Darüber hinaus gibt es noch Leute, die mit snobistischer Gönnerhaftigkeit die gute Literatur »pflegen«, besonders wenn sie gut angezogen ist. Das alles ändert aber nichts an der Tatsache, daß die breite Lesermasse ganz anders geartet ist: Als Beweis nenne ich nur den Erfolg von Tarzan und den der Magazine, mit denen wir innerhalb eines Jahres beglückt wurden.

Daneben läuft eine andere Erscheinung, die der geistigen Lage unserer Zeit ebenso entspricht wie die Freude am Bild: Es ist die Beliebtheit seelischer Zerfaserung, wie sie z. B. gerade von den großen Russen gepflegt wurde. Sie ist in ihrer Unerbittlichkeit dem Kino verwandt; denn wie dieses beschränkt sie die Phantasie des Lesers und bindet ihn an eine strenge Eindeutigkeit. Das wird mit einem Schlage klar, wenn man sich fragt, ob auch nur eine Person der neuzeitlichen Romane in dem Maße als das eigene seelische Abbild betrachtet werden könnte, wie das mit Goethes Werther der Fall war. Es ist klar, daß der Leser sich um so leichter in einer Romangestalt wiederfinden kann, je mehr deren Schilderung mit allgemein menschlichen Zügen aufgebaut ist, je weniger Einzelzüge berücksichtigt sind, die der Vorstellung vom eigenen Ich widersprechen. So zeigt sich auch hier, daß der Leser unserer Zeit beim Lesen viel weniger Anteil nimmt, als er betrachtet. Selbst die Form wird mehr kritisch-ästhetisch gewertet, als daß die Seele im gleichen Rhythmus mitschwingt. Es ist eine Versachlichung literarischer Kunst eingetreten, die der vorwiegend geschichtlich eingestellten Kunstbetrachtung entspricht.

Schon aber bahnt sich eine neue Entwicklung an, die in noch durchgreifenderer Weise vom Schrifttum wegführt als die Sucht nach bildlicher Darstellung: Das gesprochene Wort, der lebendige Klang gewinnt wieder mehr Bedeutung. Die junge Lyrik, wie sie mit den »Neutönern«

begann, suchte zuerst wieder Klang in die Dichtung zu bringen, hatten ihre Vertreter doch erkannt, daß der Ton unserer Dichtung in vieler Hinsicht stumpf geworden war, daß die Glocke einen Sprung hatte, daß das Metall, der Stoff zwar noch Laut gab, aber keinen singenden Ton. »Ihr hört mit tauben Ohren, Und sprecht mit stummem Mund«, lautete der Vorwurf von Arno Holz an die alten Dichter. Diese Erkenntnis aber einer geistigen Oberschicht konnte sich nur in einer Bewegung auf schmalster Grundlage auswirken. Die breite Masse des Volkes war noch nicht so weit, daß sie unter der Tonlosigkeit der Zeitstimme litt. Erst die Aufrüttelung durch Krieg und Revolution brachte hier Wandlung, wenn auch gern zugegeben sein soll, daß die Jugendbewegung schon vorher bis in die Arbeiterkreise hinein die Sehnsucht nach Klang in sich trug. Sie suchte aber mehr unter Anknüpfung an geschichtlich Überliefertes das Lied zurückzugewinnen, als daß sie ganz allgemein die Stumpfheit unserer Sprache im gesamten Schrifttum empfand. Die Erschütterungen seit Kriegsbeginn aber zeigten, daß mit dem geschriebenen und gedruckten Wort eben nur der begnadete Künstler tief wirken kann. Der aber fehlte und fehlt einstweilen noch, und so erklärt sich die Erscheinung, daß der Redner auch da geradezu triumphierte, wo sich der geistige Inhalt seiner Rede in keiner Weise mit den Leitartikeln der Presse messen konnte: Die Gewalt des mit dem Klang der innerlich ergriffenen Persönlichkeit gesprochenen Wortes zeigte sich dem feingeschliffenen gedruckten Wort weit überlegen, und zwar nicht nur beim »Volk«, sondern auch bei weitesten Kreisen der Gebildeten. Ich erlebte es, daß ein ausgewählter Kreis von führenden Leuten des Handels und der Industrie, dazu Beamte bis zu Ministern, einem bekannten Volksredner über zwei Stunden in atemloser Spannung lauschte und die meisten erst hinterher gewahr wurden, daß der Redner ja über den Gegenstand, über den er eigentlich sprechen sollte, so gut wie nichts gesagt hatte.

Die Entwicklung des Radio wird der Neigung zum gesprochenen Wort wohl noch weiter Vorschub leisten, doch glaube ich, daß sehr bald die Sehnsucht nach der lebendigen Gebärde auch diese Entwicklung wieder in andere Richtung lenken wird; denn das Wesentliche unserer Zeitrichtung ist die Flucht vor allem Toten, die Sehnsucht nach dem Ausdruck lebendiger Persönlichkeit.

Darum bewegen wir uns in gewissem Sinn vom Buch immer mehr weg trotz aller Vergrößerung buchgewerblicher Erzeugung. Diese verdankt ihren Aufschwung der Tatsache, daß das Buch zum Werkzeug wurde, nicht nur in der Wissenschaft, nicht nur als Schulbuch in weitestem Sinne, sondern nicht minder das »schöne« Buch, das in einem Fall Text zu einem Kinostück, im anderen zu einem Radiovortrag oder zu der beliebten Seelenanatomie ist. Man beachte, wie viele Leute heute Goethes Tasso wirklich nur mehr als Text zu einer schauspielerischen Leistung eines bestimmten

Bühnenkünstlers genießen, wie sehr etwa bei Darstellern wie Pallenberg die Frage nach dem Gehalt des Stückes, nach seinem künstlerischen Wert zurücktritt gegenüber der Freude an der Lebendigkeit der vorgezauberten Bühnenfigur. Man prüfe in diesem Zusammenhang den Erfolg eines Buches wie das von Ford. Wurde es von den meisten nicht deshalb zur Hand genommen, weil man in ihm brauchbare Rezepte vermutete?

Man werfe mir nicht vor, daß ich zu schwarz male. Diese Betrachtungen haben nichts zu tun mit Weltschmerz. Würden wir heute in einer Zeit blühenden Schrifttums stehen wie etwa zur Zeit Goethes, dann wäre uns das Buch eben deshalb etwas, weil es das beste oder eines der besten Ausdrucksmittel unserer Zeit wäre. Da wir aber heute kein Schrifttum haben, das uns in diesem Sinne bestes Ausdrucksmittel unseres Empfindens ist, weil wir keine Vertreter schriftstellerischer Kunst haben, die uns ergreifen könnten nicht nur allgemein menschlich, sondern gerade als Menschen unserer aufgewühlten Zeit, so können wir eben nicht mit Literatur unser seelisches Gleichgewicht herstellen; denn sie ist zwar Ausdruck unserer Zeit, nicht mehr aber hat sie die künstlerische Kraft, um die Spannung zu lösen, die uns alle in Bann hält. Wir können, einzeln genommen, vielleicht durch ein Gedicht Mörikes, Kellers oder auch durch das eines neuzeitlichen Dichters erschüttert werden, ja gar mancher flieht vielleicht zu Goethe oder noch weiter zurück zu einem Großen unseres Schrifttums, das ist aber nicht entscheidend für die große Masse, die wie zu allen Zeiten *ihre* Kunst haben will, die Kunst, die vollendeter, Spannung lösender Ausdruck ihrer Zeit ist, die Stil ist. Ist es schwarz gesehen, wenn man gesteht, daß man in einer Zeit lebt, die ihr Innerstes durch schriftstellerische Kunst nicht ausdrücken kann? Wäre es nicht feige, diesem Geständnis auszuweichen? Ja noch mehr, wäre es nicht undankbar gegenüber dem Segen an künstlerischem Schrifttum, den unser Volk aufweisen kann, wollte man die Pause nicht wahr haben, die nun eingetreten ist auf dem Gebiete des künstlerischen Schrifttums? Ebensowenig wie der einzelne Mensch kann auch ein Volk immerzu schöpferisch sein auf allen Gebieten. Das ist die traurige, aber doch menschlich große Erkenntnis unserer Zeit. Daß sie Spengler mit so großem Erfolg aussprach, verdankt er dem Umstand, daß er damit die Zeit von dem Druck eines ungewissen Etwas befreite, das man wohl gefühlt, aber nicht erkannt hatte.

Am wenigsten ist Grund, mir als Buchhändler Schwarzseherei vorzuwerfen, denn der Möglichkeiten des Buches als Werkzeug sind heute noch so viele, daß die Notwendigkeit des Rückgangs der Erzeugung solcher Bücher weit ab liegt. Ja noch mehr, es ist eine der Aufgaben unserer Zeit, dem Buch als Werkzeug einerseits eine immer zweckmäßigere Form, andrerseits eine immer größere Verbreitung zu geben.

Man wird nun sagen, daß es doch trostlos wäre, wenn nur diese nüchterne Seite des Buches als Wirkungsfeld bliebe. Auch wird man die Frage aufwerfen: »Gibt es denn keine Ewigkeitswerte unseres Schrifttums?« Beide Einwendungen sind mehr als berechtigt. Aber gerade aus ihrer Verbindung läßt sich die Antwort für beide gewinnen. Der Wert, den unser klassisches Schrifttum in sich birgt und der als überzeitlich bezeichnet werden kann, ist nicht ein Wert, der ohne weiteres erkannt noch viel weniger nutzbar gemacht werden kann, denn er wurzelt in persönlichstem Künstlertum. Nirgends gilt der Satz, daß das Ererbte erworben werden muß, wenn man es besitzen will, mehr als in diesem Zusammenhang. Es ist Aufgabe genug, in dieser Richtung alles zu tun, was geschehen muß, um diese Quellen offen zu halten. Wir müssen uns klar darüber sein, daß jede Zeit eine andere Einstellung zu Goethe z. B. hat, daß die Wege, auf denen man ihr die Größe dieser Persönlichkeit nahe bringen muß, verschieden sind. Diese Wege zu bahnen durch sinnvolle Zusammenstellung und Auswahl sowohl, wie durch entsprechende äußere Form, ist eine Pflicht, deren Erfüllung gerade dann am wenigsten versäumt werden darf, wenn das Schrifttum der eigenen Zeit die Größe nicht erreichen kann, die jenem Erbe entspricht. Man bedenke, daß Krieg und Revolution eine vollkommen neue Schicht von Lesern erzeugt hat, die zwar Leser im neuzeitlichen Sinne sind, in deren Reihen aber viele sind, die für Wertvolleres gewonnen werden können als für den Kitsch des Tages. Ihnen unsere Schätze so billig als möglich und doch geschmackvoll zu bieten, ist zwar eine in Angriff genommene, aber noch nicht erfüllte Aufgabe. Sie beginnt schon beim Lesebuch in der Schule und es ist einer der wichtigsten Fortschritte unserer Zeit, daß die Schule keine Lesebücher mehr will, die nach dem belehrenden Inhalt zusammengestellt sind, daß das literarisch wertvolle Buch die Forderung des Tages ist; bedauerlich ist nur die Wegerziehung vom Buch als künstlerisch geschlossenes Ganzes, die in dem Augenblick in gewissen Schulkreisen einsetzte, wo erste Kräfte bemüht sind, den Erwachsenen das Lesebuch als künstlerisch berechtigte Form der Darbietung unseres »Erbes« nahezubringen.

Weiterhin gilt es, sich dem Schrifttum unserer Zeit nicht zu verschließen. Denn in ihm liegt eine wichtige Möglichkeit, das Gesicht unserer Zeit den folgenden Geschlechtern zu bewahren; auch diese sollen uns dereinst zu verstehen suchen, wie wir dem Sinn der Geschichte nachgraben.

Wir müssen unser Schrifttum dafür gewinnen, daß es in vermehrtem Maße dazu hilft, das große Erbe an die neu heranreifenden Schichten heranzubringen, denn die Leserschaft ist bestimmend dafür, daß unser Schrifttum in seinen wertvollen Teilen als lebendige Kraft erhalten bleibt. Ein wesentlicher Teil unseres heutigen schriftstellerischen Schaffens gehört aber der Tagespresse und in dieser Tatsache liegen bisher nur ganz unvollkommen genützte Möglichkeiten. Der Großteil der Presse und des ihm dienenden Schrifttums hat gewiß den guten Willen, seine Leser zum guten, wertvollen Buch hinzuführen, aber die Planlosigkeit mit der dieser Wille sich auswirkt, bringt sie um den Erfolg des Bemühens. Nur mit Hilfe des Schrifttums unserer Zeit können wir uns der Geschichte überliefern, aber auch nur mit seiner Hilfe können wir das zur Geschichte gewordene Schrifttum unserer großen Zeiten als lebendige Kraft erhalten.

Aus der Geschichte heraus wird uns aber auch dereinst ein neuer Morgen des Schrifttums anbrechen, der Morgen eines Tages, an dem neue Blüten aufbrechen werden an den Sträuchern und Bäumen, die heute vielleicht nur buntes Laub tragen.

Wie wir in der Nacht leichter in uns hineinsehen, uns auch der Ewigkeit mehr aufschließen können, als im Getriebe des Tages, so gilt es auch heute, das Gestern mit prüfendem Sinn zu überdenken, der Möglichkeit, ja der unbeschränkten Möglichkeit des Morgen, die Seele zu öffnen auch dadurch, daß wir durch Ruhe Kräfte sammeln. Es gibt eine Ruhe, die der erste Auftakt zur Leistung ist. Ich höre, wie die deutsche Seele in sich hineinhorcht. Sie mag zunächst erschrecken über die Stille, die der »Untergang« der Sonne um sie verbreitet. Schon aber hat sie begonnen, die Ewigkeit wieder zu vernehmen, die ihr in der Zeit des Erfolges von Wissenschaft und Technik zu einem Rechenbegriff geworden war. Je tiefer wir in diese Ewigkeit hineintauchen, um so gekräftigter wird uns das Morgen finden, denn aller Wert der Persönlichkeit ist bestimmt durch die Überwindung toter Versachlichung und durch die in die Ewigkeit wirkende Kraft wirklichen Lebens. Der Gehalt an Persönlichkeit aber bestimmt auch die Zukunft des Buches.

CPSIA information can be obtained
at www.ICGtesting.com
Printed in the USA
LVHW110812161222
735287LV00006B/2079